Dwanaście srok za ogon

Seria MENAŻERIA

Andrew Westoll, *Szympansy z azylu Fauna. O przetrwaniu i woli życia*
Robert Pucek, *Pająki pana Roberta*
Bernd Heinrich, *Wieczne życie. O zwierzęcej formie śmierci*

Stanisław Łubieński

Dwanaście srok za ogon

Wołowiec 2016

Projekt okładki Agnieszka Pasierska / Pracownia Papierówka
Projekt typograficzny Robert Oleś / d2d.pl
Ilustracja na okładce © by Andrzej Rabiega
Fotografia Autora na okładce © by Emilia Grzędzicka

Redakcja Magdalena Budzińska
Konsultacja ornitologiczna Beata Kojtek
Korekta Agnieszka Frysztak / d2d.pl, Gabriela Niemiec / d2d.pl
Redakcja techniczna Robert Oleś / d2d.pl
Skład pismem Arno Pro i Calibri Alicja Listwan / d2d.pl

Książkę wydrukowano na papierze Ecco book cream 70 g/m², vol. 2,0, dystrybuowanym przez firmę Antalis Sp. z o.o.

Książka powstała w ramach stypendium Ministra Kultury i Dziedzictwa Narodowego

Ministerstwo
Kultury
i Dziedzictwa
Narodowego.

ISBN 978-83-8049-235-6

Referencje

Niech to będzie mój list polecający. Ptakami interesuję się od początku podstawówki, ale – przyznaję – moja pasja nie była samorodna. Oczywiście wolałbym wszystko zawdzięczać sobie: swojej inteligencji, ciekawości, oryginalności, ale ja ptakami zainteresowałem się przez imitację. Moim przewodnikiem po świecie ornitologii był starszy o dwa lata brat wujeczny Michaś. Podziwiany i naśladowany. Zabiegałem o jego uwagę i nie odstępowałem na krok.

Co rok jeździliśmy razem na Mazury. Nasłuchiwaliśmy pohukiwania sowy włochatki, w płytkiej zatoczce jeziora Seksty oglądaliśmy z bliska polujące zimorodki. Roztrząsaliśmy, czy widziany z samochodu ptak mógł być drapieżnym gadożerem. I tak powoli zagłębiałem się w świat ptaków. Pierwszą lornetkę wybrałem z mamą z rogu ruskiej obfitości – polowych łóżek na bazarze Banacha. Radziecka optyka była przyzwoita, zresztą właściwie innego wyboru nie mieliśmy.

Wielu znajomych ornitologów ma jakiś mit założycielski związany ze swoją pasją. Kasia od maleńkości wpatrywała się w szarą wypchaną mewę wiszącą nad łóżkiem. Witek hodował kanarka. Nigdy go specjalnie nie lubił, denerwowały go ptasie popisy, to hałaśliwe zabieganie o uwagę. Niechętnie nalewał mu wody do poidełka. Ale kto wie, może gdyby nie przeklęty kanarek Witek zajmowałby się czymś zupełnie innym? Ja miałem nad łóżkiem dwie pocztówki. Na jednej było zdjęcie młodego wróbla, ojciec przywiózł ją z Włoch. Na drugiej – grafika Dürera przedstawiająca sowę. Dziś nie jestem pewien, czy wisiały tam zawsze, czy pojawiły się już po radzieckiej lornetce.

A może na początku było słowo, a nie obraz? Mama czytała mi dużo, ale szczególnie głęboko przeżyłem *O czterech warszawskich pstroczkach* Ireny Jurgielewiczowej. Opowieść o czwórce przyjaciół, młodych staromiejskich wróblach: zarozumiałym Czubku, który urodził się pod dachem Domu Literatury, zadziornym Kulce, słabowitym Czarnym Oczku i wycofanym, melancholijnym Cichym. Każdy ptak miał swoje ambicje, sympatie i zupełnie ludzki charakter. Doskonale pamiętam ścisk w gardle przy rozdziale *Żal nam małego Szarusia*, w którym jeden z pobocznych bohaterów zostaje zabity przez niegrzecznych chłopców. Drżenie, kiedy ranny Czubek trafia do mieszkania staruszki. Jak mogłem nie utożsamiać się z warszawskimi wróblami?

W domu mieliśmy jeden atlas ornitologiczny *Jaki to ptak?* Černego i Drchala. Nie wiadomo skąd, w rodzinie nikt przecież nie interesował się ptakami ani nie polował. Moi rodzice nie znają się na przyrodzie, a ze zwierząt najbardziej lubimy psy. Jedynym świadectwem jakichś myśliwskich namiętności była skóra aligatora wisząca u wujostwa w Opolu. Poczerniały stwór miał pewnie ze sto lat. Fantazjowałem, że trafił do nas w spadku po krewnym, zoologu Konstantym Jelskim, który jeździł z wyprawami do Ameryki Południowej.

Nie lubiłem tej mojej pierwszej książki o ptakach, nie podobały mi się rysunki, była jakaś ponura i odkąd pamiętam, rozklejona na stronie sto trzydziestej: alki, europejskie pingwiny, słabo latające morskie ptaki pojawiające się nad polskim morzem wyłącznie zimą. Zupełnie nieosiągalne dla warszawskiego dziecka. I nawet kiedy szukałem sikorek, książka w pierwszej kolejności otwierała się na alkach.

Jaki to ptak? szybko trafił na zesłanie; wywiozłem książkę na działkę i właściwie zostawiłem na pastwę wilgoci i pleśni. Ale na jej miejscu wkrótce pojawił się atlas *Ptaki Polski* Jana Sokołowskiego z dużymi barwnymi ilustracjami (mimo że na niektórych trochę rozjechały się kolory) i ciekawymi, choć raczej nieaktualnymi informacjami. Szybko zapamiętałem, że sęp płowy gniazdował w Pieninach w 1913 roku. Książka była niezbyt gruba, opisy miała zwięzłe, a na stronie pozostawało dużo wolnego miejsca. Dzisiaj wiadomości upchnięte są szczelnie, atlasy przypominają małe cegły.

Przez jakiś czas myślałem o zakupie papugi nimfy, ale jakoś nie byłem przekonany, czy chcę mieć w domu więźnia. W sklepach zoologicznych sprzedawano wyłącznie ptaki egzotyczne, nie te, które mogłem spotkać w swojej okolicy, a to właśnie je chciałem poznać bliżej. Te w klatkach to właściwie nie były ptaki, tylko mizdrzące się do ludzi, żebrzące o jedzenie imitacje. Chciałem mieć dzikie zwierzę. Michaś znalazł młodego gawrona, którego karmiliśmy białym serem i bezskutecznie próbowaliśmy skłonić do latania. Podrzucaliśmy ptaszysko, a ono pokrakiwało z pretensją, rozkładało skrzydła i miękko lądowało w trawie. Coś było z nim nie tak, pewnie rodzice zorientowali się, że pisklę nie rokuje, i wyrzucili je z gniazda.

Atlasy, czyli klucze, nazywa się często w skrócie od nazwisk ich twórców. Tak więc lubiłem swojego Sokołowskiego, ale prawdziwym przełomem były *Ptaki Europy* pod redakcją Kazimierza A. Dobrowolskiego z tablicami Władysława Siwka. Atlas był nowoczesny i co najważniejsze – aktualny. Układem przypominał amerykańskie przewodniki Petersona, ilustracje były czytelne i kolorowe. Obok opisów kolejnych gatunków pojawiały się czarno-białe rysunki typowych ptasich zachowań. Pracowicie kopiowałem „sposób łowów rybitwy zwyczajnej" albo „lot tokowy kszyka". Wzorem poważnych ornitologów prowadziłem notatnik obserwacji: „1 sierpnia: Kilka krzyżówek i łysek widziałem w parku. 2 sierpnia: Dzisiaj tylko mewy śmieszki".

Mam w domu zeszyt w formacie A4, kupiła mi go babcia Janka. „Stanisław Łubieński, PTAKI". Przez jakiś czas, gdzieś około 1993 roku (na okładce naklejka Animals Opole '93), zbierałem i wklejałem do niego artykuły o zwierzętach (niekiedy, sądząc po okrągłych, tłustych plamach, zamiast szkolnego kleju w sztyfcie używałem gumy arabskiej). Babcia dostarczała teksty z „Kulis" i „Przekroju". Są podpisane profesjonalnie, w końcu babcia pracowała jako bibliotekarka. Na przykład *Ostatnie pisklęta* – o tym, że w pełni polskiego lata wiele gatunków zaczyna już wędrówkę do Afryki. Pod spodem chwiejnym babcinym pismem: „»Przekrój« z 8 sierpnia 1993 r.".

Ja wycinałem głównie artykuły z „Gazety Wyborczej". Najwięcej mam tekstów Adama Wajraka. Interwencyjne – o tym, że w dolinie Omulwi w ówczesnym województwie ostrołęckim strzela się do tokujących cietrzewi. Krajoznawcze – w Bieszczadach można oglądać orlika kołującego nad budką z zapiekankami. Edukacyjne – o dobrych obyczajach podczas spaceru w lesie. Przez rok o ptakach pisał do „Gazety" Krzysztof Filcek. Cykl nazywał się *Na spacer z lornetką* i opowiadał o tym, gdzie i jak rozwijać ornitologiczne hobby. Wciągające, rzeczowe teksty pisane przez prawdziwego pasjonata.

W szkole moje zainteresowania budziły wesołość kolegów. To, że kogoś ciekawią p t a k i, zawsze może być przedmiotem żartów (do dziś zresztą bywa). Nie powiem, że szczególnie z tego powodu cierpiałem – zawsze płaci się jakąś cenę za swoje dziwactwa. Na lekcjach biologii nie mogłem się doczekać zoologii, ale kurs tylko prześlizgiwał się po ptasich tematach. Nauczycielka nie wiedziała zbyt wiele o życiu ptaków i nie rozpoznawała podstawowych gatunków. Pamiętam jej bezradność, kiedy jakieś dziecko przyniosło z parku pisklęta modraszki. Pewnie skończyły marnie, jak myszoskoczki z zaplecza sali biologicznej. Któregoś ranka odkryliśmy, że stworzenia stoczyły bratobójczą walkę: jeden leżał martwy z odgryzioną nogą, drugi spokojnie grzebał w trocinach.

A ja tropiłem ptaki na działce, w parku, nawet podczas gry w piłkę potrafiłem się zagapić, kiedy na niebie mignęła mi nieznana sylwetka. Pamiętam podziw rodziny, gdy w jakimś materiale w „Wiadomościach" dostrzegłem przelatującego dzięcioła. „Lot falisty", wyjaśniłem niedbale, chociaż moja diagnoza domagała się nieco szerszego przypisu. Brat do dziś wspomina znaleziony w moim atlasie zapis głosu któregoś z ptasich drapieżników: „Glie-glie-glieon". W 1994 roku z Mamą, wujem Tomkiem i Michasiem pojechaliśmy na Węgry, na pierwszy zagraniczny wyjazd na ptaki. Organizował je Maciej Zimowski, znany później w krakowskim światku literackim jako Maciej Kaczka.

W naszej czterdziestoosobowej grupie byli doświadczeni ornitolodzy w średnim wieku, trochę młodych adeptów i kilka osób niezwiązanych z ptakami. Nie pamiętam konfliktów, narzekań ani reklamacji – przyrodnicy to raczej ludzie odporni na niedogodności. Zresztą natura wynagradzała. Już na gałęzi nad namiotem zobaczyliśmy gniazdo dzierzby czarnoczelnej, a tuż za bramą kobczyki, niewielkie sokoły polujące głównie na owady. Nocą okazało się, że ochronę kempingu zapewniają trzy gatunki sów. Piękna biała dama – płomykówka, i rodzina drobnych pójdziek. Ich dziecko niemal spadło nam na głowy, kiedy niezgrabnie próbowało usiąść na rynnie. Był też krępy puszczyk, najbardziej skryty z towarzystwa, przesiadujący samotnie na palikach ogrodzenia gdzieś na skraju obozu.

Moje wrażenia z wakacji były nieco inne niż rówieśników. Nie pamiętałem z Węgier miast, zabytków ani sklepów, tylko obraz spalonego słońcem stepu, wspomnienie nieludzkich upałów i opalonych na czerwono twarzy towarzyszy podróży. Spacer po spękanej politurze błota na wyschniętym jeziorze i zakopany w pyle dziób w kształcie łyżki. Z jego właścicielki, warzęchy, nie zostało nic więcej. No i jeszcze kokieteryjny *bon mot* mojej Mamy z wieczorku zapoznawczego: „Jestem tak stara, że widziałam dodo". Przed oczami wyświetlają mi się slajdy z ptakami.

Olbrzymie dropie, napuszone i przycupnięte na skraju rzepakowego pola. Spotkanie z kulonem, długonogim, brązowym ptakiem z oczami jak złote spodki, niemal niewidocznym w wysokiej trawie. Wypatrzony w debreczyńskim parku dzięcioł białoszyi, zwany też syryjskim, w Polsce wtedy jeszcze bardzo rzadki, dziś niewzbudzający już wielkiej ekscytacji. No i szafirowe kraski wypatrujące zdobyczy z każdego przydrożnego drutu. W połowie lat dziewięćdziesiątych gatunek ten przeżywał w Polsce wyraźny kryzys, dziś, po dwóch dekadach, jest już o krok od wymarcia.

Rok później byliśmy w Skandynawii. I znowu nie mam we wspomnieniach ludzi ani miast. Te zresztą z rozmysłem omijaliśmy. Z tranzytu przez Oslo pamiętam jedynie pasące się w miejskim parku bernikle. Przed oczami stają mi za to świerkowe lasy, gałęzie oplecione brodami porostów, karłowate brzozy, różnokolorowe poduchy mchów. I ptaki. Zamaskowane w tundrze pardwy, samotny nur na jeziorze pośród melancholijnej pustki. Skaliste klify wyspy Runde, a tam pingwinowate, słabo latające alki – rysunki ze strony sto trzydziestej wreszcie ożyły.

Delta Dunaju. Po drodze okute blachą domy Transylwanii i stada bezpańskich psów na postojach. Nasz autobus PKS Przemyśl z zardzewiałą dziurą w prawej burcie i pasek klinowy zerwany na jakimś forsownym podjeździe. U celu podróży nie było właściwie nic poza przyrodą. Jaskółki wpadały przez otwarte drzwi do kempingowego baru, przelatywały nad stolikami i zawisały na gniazdach pod sufitem. Przyroda nie odpoczywała nawet nocą. Trawy jak wielki improwizujący instrument ożywały głosem milionów świerszczy, w różnych rejestrach i rytmach. Muzyka natury nie zawsze jest logiczna dla ludzkiego ucha.

Później jeszcze parę razy śniła mi się wyprawa łodziami po delcie. Zagłębianie się w trzcinowe tunele, niewidoczne przesmyki, hektary podmokłych lasów. Deltą rządziły rośliny. Strażnikami rzecznej krainy były ptaki. Ogromne pelikany, spokojne i pewne siebie, jak awionetki sunęły w milczeniu nad naszymi głowami. Połyskujące metalicznie ibisy z zagiętymi dziobami przepychały się w kałużach. Na brzegu nieruchomo zaczajone czaple. To był mój ostatni rodzinny wyjazd na ptaki. Powoli zaczynałem domagać się autonomii.

Atlasy przyrodnicze są pisane szczególnym językiem. Już w dzieciństwie oswoiłem się z nim na tyle, że fachowe terminy stały się dla mnie przezroczyste. Były czystym znaczeniem bez brzmienia, nie dostrzegałem ich komicznego potencjału. To dziwne, bo w szkolnych wypracowaniach słowa dobierałem rozważnie. Szybko zrozumiałem, że wbrew temu, czego uczą polonistki, czasem lepiej powtórzyć jakiś wyraz niż siłować się z niezręcznym synonimem. Słowa „ptak" nie zamierzałem zastępować jakąś pokraką w rodzaju „skrzydlatego wędrowca".

Właściwie należałoby powiedzieć, że język atlasu bywa wyjątkowo niezgrabny dla kogoś, kto zawsze lubił czytać. A jednocześnie nie sposób tego słownika zastąpić neutralną, codzienną polszczyzną. Słowa należące do języka atlasów są precyzyjne i celowe: samiec, samica, pożywienie, żerowanie. Trudno przecież polemizować z faktem, że ptaki nie jedzą jak ludzie. Że nie są panami ani paniami. Mechaniczne przenoszenie zwierząt do świata ludzkich pojęć to wpadanie w pułapkę infantylizmu. Ptaki nie kochają się, nie uprawiają miłości ani nawet seksu. Kopulują. Ten nieludzko techniczny termin oddaje istotę rzeczy. Tu nie ma żadnej romantyki, bo chodzi wyłącznie o rozmnażanie i przekazanie genów. Kopulacja. Nie można nazwać tej czynności inaczej.

Ale te słowa zna każdy, kto uczył się biologii albo obejrzał dokument przyrodniczy. Jest jednak jeszcze drugi, mniej oczywisty słownik. Każda część ptasiego ciała i każda partia upierzenia mają własne nazwy. Pióra układają się w szaty. Szczególnie lubię to słowo, które dla postronnego pachnie kadzidłem i niedzielnym czytaniem. Szaty zależą od wieku, pory roku i płci ptaka. Mogą być świeże albo znoszone. Każdy gatunek ma swoje szaty i zmienia je (czyli pierzy się) we właściwym sobie porządku.

Interesujące są słowa przeniesione z opisu ludzkiej postaci. W którymś z atlasów natrafiłem na określenie „barczysty". Przymiotnik ten nie odnosił się jednak wcale do gatunków okazałych i emanujących siłą. Orły niekoniecznie są barczyste. Ptaki często charakteryzuje się przez opozycję do gatunków podobnych. Chodzi zwykle o subtelne różnice proporcji, ulotne, trudne do określenia wrażenie. I tak świstunka leśna jest przedstawiona w atlasie Larsa Jonssona jako „bardziej barczysta" niż podobny do niej piecuszek. Przeczytałem kiedyś ten opis kolegom i przez moment nie mogłem zrozumieć, co ich tak rozbawiło. Wystarczy rzut oka na oba mierzące niewiele ponad dziesięć centymetrów ptaki, by zorientować się, że nie o ludzką „barczystość" tu chodzi.

Podobnie jest z „wyrazem twarzy". Ptaki nie mają oczywiście twarzy w naszym rozumieniu, ale układ rozmaitych kresek, brewek, rozjaśnień czy zaciemnień na głowie nadaje im pozór rysów i emocji. Uderzającym przykładem jest para blisko ze sobą spokrewnionych najmniejszych ptaków Europy – mysikrólika i zniczka. Ten pierwszy ma wokół oka rozjaśnienie, które nadaje mu miły, niewinny wygląd. Zniczek wygląda jak jego zły brat bliźniak. Szeroka biała brew podkreśla czarną, demoniczną kreskę prowadzącą przez czarne jak węgielek oko. Obrazu dopełnia szare pole poniżej. Ważący sześć gramów ptaszek wygląda, jakby zarwał kilka nocy.

Intrygujące są terminy opisujące szanse zobaczenia określonego gatunku. „Pospolity" nie znaczy wcale zwyczajny, banalny, nudny. Gatunek jest pospolity, jeśli jego populacja jest liczna. Z kolei „zalatujący" to taki, którego trasy migracyjne zasadniczo nie prowadzą przez nasz kraj, ale zdarza mu się do nas „zalecieć". Co innego „sporadyczny" – ten to prawdziwy rarytas. Zjawia się od wielkiego dzwonu, najczęściej przypadkiem, na przykład kiedy nad wybrzeże zwieje go sztorm. Lubię jeszcze „inwazyjnego". Ten jest nieprzewidywalny. Którejś zimy najedzie nasze strony wielką masą, a za rok – cisza, raptem kilka ptaków.

Ryszard Kapuściński napisał kiedyś taki wiersz:

> [...] Pliszka górska
> ma ładne upierzenie
> podgardle czarne
> skrzydła ciemnobrązowe
> dziób czarny
>
> żyje nad potokami
> zwraca uwagę swą ruchliwością
> i nieustannym śpiewem
> tsissis
> tsissis
> tsier
> tsissis [...]

Mottem są słowa Edwarda Stachury: „Wszystko jest poezja".

Pod koniec podstawówki orientowałem się już w ptakach całkiem dobrze, ale coraz mniej chciało mi się o nich czytać. Kiedy zdałem do liceum, zacząłem odkrywać atrakcje związane ze zmniejszoną kontrolą rodzicielską. Wciąż chodziłem na ptaki, ale raczej na zasadzie odruchu bezwarunkowego. Coraz rzadziej, automatycznie i bez przyjemności, powtarzałem czynności, których nauczyłem się przez lata. Zapał się ulatniał.

Po pierwszej klasie namówiłem na wycieczkę do północnej Skandynawii dwóch Michałów, moich najlepszych kolegów. To wciąż był niby wyjazd na ptaki, ale zupełnie niepodobny do poprzednich. Urwany film po cieniutkim fińskim piwie, wspinaczki po zwietrzałych, nadmorskich skałach, kradzież jakiegoś drobiazgu w przydrożnym sklepiku. Dreszcz strachu i łobuzerska emocja stały się miarą atrakcyjności. Ptaki schodziły na drugi plan, choć wciąż jeszcze potrafiłem zachwycić się widokiem siewek złotych w wątłym świetle podbiegunowej nocy.

Moi koledzy nie byli specjalnie zainteresowani ptakami, ale to nie miało znaczenia. Wolność i niemałe kieszonkowe spodobały się nam do tego stopnia, że w następnym roku pojechaliśmy we trójkę na Korsykę i Sardynię. Przez rok zbieraliśmy zachłannie pijackie doświadczenia, więc tym razem nie padaliśmy już z nóg od byle czego. W zasadzie uważaliśmy się za dorosłych. Bez lęku weszliśmy do korsykańskiego baru, w którym kilkunastu mężczyzn śpiewało jakąś smutną pieśń. Pili alkohol, a oczy mieli szkliste. W ogóle nie zwrócili na nas uwagi. Nawet nie wiem, czy przez te dwa tygodnie udało mi się zobaczyć endemicznego kowalika korsykańskiego.

Ptaki schodziły na trzeci plan, na wyjazdy przestałem nawet zabierać lornetkę. Rzadko już ich widok skłaniał mnie do zatrzymania. Po klasie maturalnej pojechaliśmy z Michałem B. w ukraińskie Karpaty. We dwóch. Prawdziwa męska przygoda. Z tej pierwszej wizyty na Ukrainie pamiętam głównie strach. Wrażenie, że wszyscy czyhają na nasze życie i działają w zmowie. Naszego samopoczucia nie poprawiał fakt, że ledwie sylabizowaliśmy cyrylicę.

Niezdolność porozumienia prowadziła do idiotycznych sytuacji. Dziesięć minut odmawiałem w sklepie „wodiczki", myśląc, że bezwstydna kobieta chce mnie napoić wódką. Sympatyczny facet z klawiaturą złotych zębów, który zagadywał nas w pociągu, wydawał się bardzo podejrzany. W napięciu czekaliśmy, aż zaatakuje. Pod koniec pierwszego dnia wędrówki, wyczerpany przeżyciami, naprawdę ucieszyłem się na widok dzięcioła trójpalczastego, który zupełnie ignorował nasze towarzystwo. Jakby nigdy nic patrolował pień świerka tuż nad naszym namiotem.

A jednak uparłem się na tę Ukrainę, zapełniałem paszport stemplami: Rawa Ruska, Jahodyn, Szeginie, Mościska. Kilka lat później odwiedziłem znajome miejsca w rumuńskiej delcie Dunaju. W trakcie niezgrabnych pertraktacji z rybakami wynajmującymi łodzie zorientowałem się, że rozumiem ich prywatne rozmowy. To byli potomkowie Kozaków zaporoskich, których przodkowie wypędzeni z Siczy przez Katarzynę II postanowili osiąść w tych stronach. Mówili archaicznym językiem, który znałem z XIX-wiecznej trawestacji *Eneidy* autorstwa Iwana Kotlarewskiego, ojca literatury ukraińskiej. Pelikany na rozlewiskach były tak samo stateczne, czaple podobnie nieruchome. Z wyjazdu wyniosłem jednak głównie wspomnienie o ukraińskiej enklawie na bagnach.

Czytanie obojętnym głosem zapisu ptasiego śpiewu jest zawsze bardzo zabawne. „Kjaukjaukjaukjaukjaukkajkja" – krzyczy mewa srebrzysta u Sokołowskiego. W atlasie Svenssona wydaje z siebie „powszechnie znany, egzaltowany chichot tokowy": „Aał… kyjaaa-kyja-kyja-kyja-kyja-kyja kyja kyjał". To wielka sztuka zapisać głos, jego subtelną rytmikę i barwę. Spróbujcie oddać naszym ludzkim alfabetem wibrację sędziowskiego gwizdka. Goła onomatopeja brzmi trochę niezdarnie, ale połączona z trafnym opisem daje dobre wyobrażenie o mechanice dźwięku.

„Równo, w takcie i niezbyt szybko spływają miękkie i słodkie tony fletowe, jak kołysanka trochę smętna, lecz niezmiernie miła. Śpiew ten należy do najlepszych w ogóle. Można go dość dobrze odtworzyć słowami »lulululu ljul djil djil djil lilililі« itd. Już od dawna musiał skowronek borowy zwrócić na siebie uwagę śpiewem, skoro istnieje tak wiele nazw ludowych, naśladujących jego tony, jak np. firlej, ledwucha, filuszka, suliszka. Najtrafniejsza jest jednak łacińska nazwa *Lullula*", czytamy w *Ptakach ziem polskich*. Autor Jan Sokołowski bardzo lubił te ludowe interpretacje głosów. Trzciniak na przykład zdziera gardło tak:

Ryba ryba ryba,
rak rak rak,
świerzbi świerzbi świerzbi,
drap drap drap,
stary stary stary,
kit kit kit.

Dziś w internecie można znaleźć tysiące doskonałej jakości nagrań. Ptasi śpiew inspirował zresztą ludzi wszystkich epok. Próbowano go zapisywać za pomocą nut, znaków alfabetu, wymyślnych diagramów. Zadania podejmowali się naukowcy, poeci, muzycy. Słynna anegdota mówi, że początek V *Symfonii* podpowiedział Beethovenowi usłyszany gdzieś ortolan. Vivaldi napisał *Szczygła* – koncert na flet poprzeczny. Olivier Messiaen z ptasiego koncertu usłyszanego w czasie porannej warty w okopach II wojny światowej stworzył *Kwartet na koniec czasu*. Utwór miał premierę 15 stycznia 1941 roku w stalagu VIII A w Zgorzelcu, do którego trafił kompozytor.

Mnie niezmiennie zachwycają polifoniczne pieśni Clémenta Jannequina z pierwszej połowy XVI wieku. Autor, katolicki duchowny, pod koniec życia mianowany „kompozytorem króla", napisał kilka utworów, w których rozbrzmiewają głosy ptaków. Najbardziej znana pieśń – *Le chant des oiseaux* – opiewa cud przebudzenia wiosennej przyrody. Szczęście i radość wlewają się w nasze serca za sprawą głosu drozda śpiewaka, słowika, a także „zdrajczyni" kukułki. Wykonawcy naśladują w pieśni ptasie trele, kląskania, gwizdy i kwilenia: „[...] Frian, frian, frian, frian, frian, frian, frian, frian, ticun, ticun, ticun, ticun, ticun, ticun, qui la ra, qui la ra, qui la ra, huit, huit, huit, huit, huit, huit, huit, huit [...]".

Pod koniec studiów mój ornitologiczny sejsmograf odnotował kilka silnych drgnięć. W księgarni natrafiłem na kolejne polskie wydanie *Ptaków Europy* Larsa Jonssona. Chociaż miałem w domu angielską wersję, kupioną za ciężkie pieniądze w Londynie, nie mogłem sobie odmówić tej przyjemności. Wiedziałem o polskim tłumaczeniu od dawna, ale kiedy przekartkowałem książkę, zrozumiałem, że muszę ją mieć. W owym czasie był to najlepszy atlas terenowy, zanim przeskoczył go bardziej praktyczny, kompletny Collins.

Jonsson nie jest zwykłym przewodnikiem. Uważam, że jest raczej dziełem sztuki. Ilustracje autora są precyzyjne, a jednocześnie pełne artystycznej swobody. Zachwyca mnie ich kunsztowna szczegółowość, przenikanie się kolorów, refleksów, najdrobniejszych faktur. Nadzwyczajne wyczucie ruchu, pierwszego wrażenia. „Wizerunek ptaka jest w istocie interpretacją jego wyglądu, który może odzwierciedlić tylko jakąś część złożonej rzeczywistości – bez względu na to, jak wnikliwie ptak byłby studiowany", pisze we wstępie autor. W swojej interpretacji nie szuka jednak najprostszych rozwiązań, dlatego ustawia ptasich bohaterów w nietypowych pozach, stosuje brawurowe skróty. Wspaniały jest ten dziób wpatrzonego w czytelnika płaskonosa.

Dobra ilustracja w atlasie ma przedstawiać ptaka wiernie i możliwie szczegółowo. W większości przewodników terenowych autorzy tablic pomijają więc tło albo zaznaczają je tylko tam, gdzie to absolutnie niezbędne. Dzięcioł musi przecież wczepiać się w pień drzewa. Ale pozostałe ptaki są najczęściej wyabstrahowane z otoczenia i umieszczone na obojętnej, jednolitej płaszczyźnie. A u Jonssona najbardziej lubię właśnie tła. Uproszczone, czasem ledwie zarysowane, innym razem pogłębione, same w sobie ciekawe, zdają się równorzędnymi bohaterami ilustracji.

Tło u Jonssona ma niemal namacalną teksturę. Suche, cierniste zarośla wysadzane skorupami ślimaków, chrzęszczący, kruchy chrobotek na gałęzi. Autor przedstawia ptaki w odpowiednim środowisku, w ich naturalnym kontekście. Rozpięta na palisadzie trzcin wąsatka czy wtopiony w korę oliwki żółtooki syczek. Mistrzowsko oddaje też kolorystykę: akwarelowy, rozmyty błękit północnych mórz albo gliniastą zieleń jesiennego pola. Każdej, nawet najbardziej konwencjonalnej scenie Jonsson potrafi nadać dynamikę. Samica gila skubie nonszalancko naszkicowane owoce. Jeżyny? Są tak uproszczone, że wydają się zbędne, a przecież to dzięki nim ilustracja żyje.

Zachwyt Jonssonem nie sprawił jednak, że zapragnąłem złapać lornetkę i wyjść z domu. Był przeżyciem estetycznym. Zdarzyło mi się parę razy przeglądać książkę przez cały wieczór, ale wciąż nie odzyskałem zapału do chodzenia za ptakami. Wolałem, by same do mnie przyleciały. Podczas pisania pracy magisterskiej na wsi prowadziłem zeszyt obserwacji. Przez dwa tygodnie zapisywałem tylko te ptaki, które widziałem przez okno wychodzące na brzozowy zagajnik. Wyszło czterdzieści jeden gatunków.

Do ptaków wróciłem na serio parę lat temu i gorliwie zabrałem się do nadrabiania straconych lat. Zacząłem od kupienia nowej lornetki. Cieszyłem się jak pan młody z radioodbiornika: zaglądałem do mieszkań sąsiadów, ekscytowałem się odczytywaniem rejestracji samochodowych. Wybrałem model o klasycznym kształcie, wypełniony azotem, odporny na parowanie i przez to trwalszy. Dobry sprzęt, chociaż może nieco za ciężki. Dzisiaj kupiłbym lornetkę z mniejszym powiększeniem, za to poręczniejszą i bardziej uniwersalną.

W drugiej kolejności kupiłem wspomniany już przewodnik autorstwa Larsa Svenssona (tak zwany Collins), małą cegłę pełną doskonale skondensowanych informacji. Rysunki może bez szczególnej finezji, ale trafnie oddające charakterystyczne cechy przedstawionych gatunków. Trudno też narzekać na język. Porównanie profilu puszczyka mszarnego do „nawiewnika parowca" wydaje się może nieco przeszarżowane, ale świadczy o poszukiwaniu nowego sposobu opisu. Mniej technicznego, a odwołującego się do wyobraźni. Bo w karkołomnym porównaniu sylwetki sowy do części parowca coś niewątpliwie jest.

Zaczęło się też zawieranie nowych znajomości, przyłączanie do jakichś grupek, wspólne wyjazdy. Rzuciłem się na ptaki z gorliwością neofity. Każdy wiosenny weekend spędzałem w terenie, śledziłem doniesienia z kraju. Jako posiadacz starego, ale sprawnego samochodu mogłem liczyć na powodzenie towarzyskie. Ostatni raz tylu ludzi, których łączyła jedna sprawa, poznałem w szkole. Wtedy był to przymus nauki, teraz – wspólne hobby. Okazało się, że pasja zmienia na zawsze. Możesz już nie chodzić po bagnach i lasach, ale twój wzrok zawsze przykuje przelatujący dzięcioł. Nigdy nie pozostaniesz obojętny na połyskliwe piękno pierwszych wiosennych szpaków. Zawsze przystaniesz na dźwięk nieznajomego śpiewu. Nigdy nie przestaniesz obserwować.

Jastrząb Chełmońskiego

Późna jesień, a widziane ze skarpy łąki wciąż wydają się zielone. Podobno wieczorami zlatują się tu żurawie, ale o dziewiątej rano widzę tylko sarny ganiające się wokół snopków. Wracam przed zmierzchem. Żurawi szukam na słuch: co kilkaset metrów gaszę silnik i nasłuchuję. Gonię przez minutę parę ptaków, ale kiedy obniżają lot, nikną mi za łoziną. Nie słychać już donośnego klangoru, siadły gdzieś w okolicy. Wkrótce nadlatują kolejne, tym razem nie staram się ich ścigać, śledzę je tylko do momentu, aż wylądują.

Kiedy po słońcu pozostaje jedynie różowy odblask, wilgotna trawa staje się szara. Nie ma chmur, szykuje się pogodna noc. Idę w stronę rozsypanego snopka, jedynej kryjówki na skoszonej łące. I kiedy jestem dziesięć kroków od celu, kupka siana zaczyna się poruszać i wychodzi z niej zaskoczona sarna. Przez chwilę mierzy mnie wzrokiem i rzuca się do ucieczki. Co parę metrów wyskakuje wysoko jak afrykańska antylopa. Siano jest wygrzane, rozsiadam się i widzę całe stado, pewnie ze sto ptaków. Żurawie nie stoją w ciszy, tylko popiskują, gulgoczą i trąbią. Na łące słychać też kwękanie kszyków, czasem któryś zrywa się i mija mnie zygzakowatym lotem. Obraz w lornetce wciąż jest jasny, widzę długi dziób, a potem bekas rozpływa się w ciemnościach.

Ze wschodu nadlatuje kolejne jedenaście żurawi. Nawołują z wysoka i zaraz dostają odpowiedź z łąki. Udzielono pozwolenia na lądowanie. Ptaki robią niewielkie kółko i ostro schodzą w dół. Wystawiają nogi jak podwozie, na długo zanim dotkną ziemi. Na moim nieostrym zdjęciu wyglądają jak olbrzymie komary. Na ciemnym niebie widać następne ptaki. I znowu te na ziemi zapraszają nadlatujących. W grupie panuje hierarchia, najmniej prestiżowe są pozycje na skraju gromady. Tu najłatwiej zostać zjedzonym, trzeba być czujnym, wypatrywać zagrożeń. Bardziej zasłużeni dostają miejsce w środku.

Żurawie uspokajają się i przez kilka minut słyszę już tylko delikatne kumkanie któregoś ptaka. Większość schowała głowy pod skrzydłami. I nagle wybucha afera. Dziesięć żurawi, trąbiąc z oburzeniem, odlatuje. Za chwilę, po namyśle, dołącza do nich jeszcze kilkanaście. Zupełnie jakby któryś ptak, niezadowolony z przydzielonego mu miejsca, zrobił gospodarzom awanturę, a potem zabrał się wraz z rodziną. Urażony żuraw i solidarni krewni. Dalej, z pewnym ociąganiem – znajomi. Secesjoniści lądują na sąsiednim polu. Żurawie mają podobno rozwinięte stosunki społeczne, ale nie wiem, czy są obrażalskie i przewrażliwione na punkcie honoru.

Sarny przestały się przejmować – bez skrępowania paradują kilkanaście metrów ode mnie. Zapada noc, wytworna szaroniebieskość nieba powoli przechodzi w granat. W ciszy huk i czerwona błyskawica przeszywa powietrze horyzontalną pręgą. Tak niestosownie zachowują się tylko ludzie. W ciemności z kwakaniem i świstem skrzydeł przelatują spłoszone kaczki, gdzieś nieopodal tętnią drobne raciczki, ale nie widzę już białych, podskakujących sarnich tyłków. Nie chcę być wzięty za śpiącego w sianie dzika i powoli się wycofuję.

Zawsze miałem słabość do Chełmońskiego za żywą, nieudrapowaną przyrodę na jego obrazach. „Odznaczał się niezwykłą pamięcią kształtu i ruchów, wielką wrażliwością i umiejętnością intymnego, bezpośredniego obcowania z naturą", pisał o nim Jan Wegner. Talent objawił wcześnie, choć te pierwsze płótna, konwencjonalne i kolorystycznie mdłe, nie zapowiadały niczego szczególnego. W 1870 roku dwudziestojednoletni malarz zaprezentował *Odlot żurawi*. Mroczny, jesienny pejzaż z podrywającym się stadem ptaków. Żurawie pokazał Chełmoński w różnych fazach ruchu: część już ginie w porannej mgle, inne zaraz oderwą się od ziemi. Scenę obserwuje nieruchomy, samotny ptak ze zwieszonym bezwładnie skrzydłem. Dla niego wędrówka się skończyła. Obraz z ducha jakby już młodopolski, a może jeszcze romantyczny? Niepokojący, ponury. Podoba się. Krytycy piszą, że malarz „chwyta prawdę z łatwością".

Co z tego – Chełmoński, student Wojciecha Gersona, jeszcze przez lata żyje w nędzy. Znajomi załatwiają mu obiady w jakiejś jadłodajni, skąd wynosi ukryte po kieszeniach kawałki chleba. Ale jest zdeterminowany. Studiuje zdobytą u rzeźnika końską nogę tak drobiazgowo, że pokój wypełnia się smrodem gnijącego mięsa. Współlokatorzy każą mu wyrzucić model.

W 1871 roku wyjeżdża do Monachium, gdzie rezyduje spora polska kolonia artystów. Jest tu kogo podpatrywać. Choćby zafascynowanego Kozakami Józefa Brandta, batalistę Juliusza Kossaka i genialnego Maksymiliana Gierymskiego (ten niestety umrze młodo). Wielu malarzy ma za sobą doświadczenia powstania styczniowego, może dlatego na ich obrazach często widać szare mundury i smętne, równinne krajobrazy. Chełmoński jednak źle się czuje w Monachium, tęskni za Polską i znajomymi pejzażami. Wzrusza go ujrzany gdzieś niespodziewanie zapuszczony, zarośnięty pokrzywami ogród. W liście skarży się mistrzowi Gersonowi: „U nas inaczej, inaczej, inaczej". W 1873 roku maluje *Sprawę przed wójtem*. Chałupa pod strzechą i tłum w ludowych strojach to zapowiedź całej serii przedstawień utrzymanych w „czerniach, brązach, ugrach, szarościach, spopielonych bielach, przetartych zieleniach i błękitach oraz oszczędnych akcentach czerwieni lub żółci".

Wyjeżdża do Paryża i dopiero po tej przeprowadzce staje na nogi. Jego obrazy kupują znani marszandzi, kolekcjonerów urzekają zimowe krajobrazy i ogorzałe twarze mazowieckich chłopów. Ale sukces finansowy niestety rzadko sprzyja sztuce. Chełmoński zaczyna malować pod gusta kupujących, powtarza i ogrywa popularne motywy. Znajomi martwią się, że zmarnuje talent. Ale w 1886 roku tworzy wspaniałe *Dropie*. „Płócienko szare, zielonawe, chaotyczne, mające niby przedstawiać dropie na stepie, chociaż w gruncie rzeczy nic nie przedstawia", pisze z dezaprobatą recenzent „Kłosów".

Jest ranek. Zaszroniona jesienna trawa. Stado przemoczonych dropi odpoczywa we mgle. Siedzą na ziemi, porządkują pióra. Znakomicie podpatrzony detal, naturalność ptasich sylwetek. Dropie są bardzo płochliwe, jak Chełmońskiemu udało się je podejść? I myli się krytyk „Kłosów", to wcale nie step. Córka malarza Wanda wspominała, że ojciec obserwował ptaki w Meudon niedaleko Wersalu. I nieprawda, że „obraz nic nie przedstawia" – jego bohaterem jest przyroda niezmącona obecnością człowieka i wytworami jego rąk.

Dropie powstały w dwóch wersjach, ta bardziej znana, późniejsza, znajduje się w warszawskim Muzeum Narodowym. Drugą, świetlistszą, z charakterystyczną wyprostowaną sylwetką czuwającego ptaka można podziwiać w muzeum malarza w Radziejowicach. *Dropie* to jednak wyjątek pośród dziesiątek takich samych konnych zaprzęgów, taplających się w mokrym śniegu sań, bab w czerwonych chustach i chłopów w futrzanych czapach. W 1887 roku Chełmoński zrywa z chałturnictwem i wraca do Polski. Dwa lata później kupuje modrzewiowy dwór w Kuklówce na Mazowszu.

Czasami zmęczona wieczorna poświata łudząco przypomina rumieniec na porannym niebie. To jednak nie jest to samo światło. Chciałem być na miejscu jeszcze w zupełnych ciemnościach, ale sprowadziła mnie na manowce perspektywa cienkiej kawy na stacji benzynowej. Z szarówki za moimi plecami wylatuje cicho błotniak i sunie metr nad łąką. W przewróconym snopku odciśnięty kształt sarniego boku, ale nie ma już śladu po żurawiach. Może siedzą na ziemi i podniosą się dopiero o wschodzie? Mokra trawa w cieniu przyprószona jest jeszcze siwizną szronu. Spod nóg podrywają mi się bekasy i wołają pełnym pretensji „kszyk, kszyk". Gdzieś niedaleko słyszę znajome odgłosy, żurawie chowają się za zarośniętym kanałem melioracyjnym. Rowu nie przeskoczę w kaloszach i z lornetką w ręku. Jest listopad i jakoś nie palę się do brodzenia w ciemnej wodzie. Muszę się cofnąć i znaleźć przejście.

Wśród tych idealnie foremnych śpiworów z sianem pasą się spokojnie sarny. Z rzadka podnoszą głowy, by przyjrzeć się mojej sylwetce. Chyba nie pachnę niebezpieczeństwem, a lornetka nie przypomina dubeltówki, bo po chwili wracają do skubania trawy. W porannej mgle słońce otacza mnie z każdej strony. Idę wydeptanymi przez zwierzęta ścieżkami i słyszę wyraźnie, że żurawie są tuż-tuż. Znów przecina mi drogę nieruchomy, ciemny kanał. Gdyby nie on, łąka byłaby przez cały rok zalana. Ptaki nie miałyby pewnie nic przeciwko.

Gwar żurawich głosów rozbija się teraz na pojedyncze gulgoty i gwizdy. Parę kroków na palcach i nagle pomiędzy uschłymi tyczkami widzę wydłużone, jasne sylwetki. Za parawanem trzcin odpoczywa przynajmniej setka ptaków. Aparat nie chce wyostrzyć, autofokus grzęźnie w zasłonie szuwaru.

Robię krok do przodu i czuję, że ruch został dostrzeżony. To koniec, zaraz wszystkie odlecą. Za trzcinami pełne napięcia oczekiwanie, próbuję się jeszcze cofnąć, ale robię jakiś niezdarny krok, patyk trzeszczy pod nogą. Na sekundę zapada cisza i ogromne stado wzbija się z ogłuszającym krzykiem. Przysiadam w nadziei, że ptaki zatoczą tylko koło, ale odlatują definitywnie. Jest ich przynajmniej dwieście. Lecą początkowo bezładnie, w kupie, ale już po chwili formują rozciągnięty, zawiły hieroglif. A może to całe zdanie w nieznanym mi alfabecie? Na pocieszenie kilka metrów ode mnie przelatują z przenikliwym piskiem dwa lazurowe zimorodki. Jeden siada na suchym badylu zupełnie jak ten z małego obrazka van Gogha.

Brzask, różowe obłoczki i wyprostowane ptaki w pierwszych promieniach słońca. Trochę pod światło, więc żurawie zdają się ciemniejsze niż w rzeczywistości. Nieśmiały kontrast białych pasów za okiem i czerwonej kipy na głowie. Tam, na tych nadnoteckich łąkach, chciałem zobaczyć na żywo *Powitanie słońca* z 1910 roku. Chełmoński po powrocie do kraju zupełnie zmienia styl. Odchodzi od końskich zaprzęgów i chłopskich zbiorowisk pod przysypanymi śniegiem strzechami. Odrzuca tematy, które przyniosły mu sławę i pieniądze. Zmienia też kolorystykę, obrazy stają się z biegiem lat bardziej świetliste, pogodne. W Kuklówce maluje niemal wyłącznie pejzaże i zwierzęta. Rozwiedziony trochę dziwaczeje i popada w dewocję.

Ciekawe wspomnienia o malarzu pozostawiła córka sąsiadów i jego uczennica Pia Górska. Pierwszy raz widziała mistrza, gdy ten w czasie mszy modlił się zalany łzami. „Miał w sobie pierwiastek dzikości czy podejrzewania, który utrudniał mu zetknięcie się z ludźmi". Chełmoński przerywa raptem wizytę, bo chce wrócić do pozostawionego w domu bociana. Opowiada dziwne, zawiłe historie bez puenty. Z anegdot wyłania się sylwetka kogoś, kogo określano zwykle taktownym mianem ekscentryka. W kontaktach jest niezręczny, ale wielkim ludziom takie drobnostki się wybacza. Bo Pia, jej rodzice, sąsiedzi, miejscowi chłopi, słowem wszyscy mają pewność, że obcują z człowiekiem wybitnym.

„Piszę ten szczery i nieliteracki pamiętnik dla dwóch przyczyn: po pierwsze lubię mówić i myśleć o Chełmońskim, po drugie sądzę, że niewiele osób miało przywilej obcowania z tak niezwykłej miary człowiekiem, a ludzie twierdzą, że przywilejów marnować nie wolno" – pisze Pia we wstępie swojej książki. Podczas którychś odwiedzin u Górskich w Woli Pękoszewskiej zrobiono Chełmońskiemu zdjęcie. Brodaty mężczyzna patrzy nieobecnym wzrokiem w dal. Jedną rękę ma wspartą na boku, drugą trzyma się za kark. To nie jest wystudiowana poza, tylko autentyczny pomnik zamyślenia.

„Widzi pani – tłumaczy Pii – pole z rosą. Zdaje się nic, a to bardzo trudno oddać taką szarość. Ludzie są idioci! Myślą, że tylko ten służy Bogu, kto się na klęczkach modli, a ja mówię, że wymalowanie takiego pola z rosą to jest służba Boża i może lepsza od innej". Malarz przemierza okolicę pieszo w chłopskim słomianym kapeluszu. Studiuje wygląd roślin, zachowanie ptaków, słoneczne refleksy, kolor wiosennych traw i jesiennych liści. Pamięć ma zdumiewającą. Studiuje detal. Szkicuje ołówkiem sylwetki gatunków wodnych, które podpisuje ze znawstwem: „tracz", „czernica", „rożeniec", „ogorzałka". W 1891 roku maluje obraz *Czapla bąk* przedstawiający lecącego nad rozlewiskiem ptaka z drobiazgowo oddanym maskującym upierzeniem. Płótno jest kompozycyjnie nieskomplikowane – tytułowy bohater umieszczony centralnie i podtopiona łąka. Niebo bez określonego koloru, jakby w środku dnia, żadnych efekciarskich, podświetlonych obłoczków. Nic nie odwraca uwagi. Wszystko jest w tytule.

W tym samym roku powstają *Kuropatwy na śniegu*, jedno z najbardziej znanych dzieł Chełmońskiego. I tu także tytuł mówi wszystko. Niespokojne, głodne ptaki zbite w gromadę przemykają po śnieżnym pustkowiu. Reprodukcja zwykle nie oddaje jego subtelnych półtonów. Jeden ptak ogląda się czujnie. Linia horyzontu ginie w siwym obłoku, niemal zlewa się z kolorem nieba. I znowu detal. Rudawe maźnięcia na pokrywach skrzydeł ptaków najbliżej widza, pochylone sylwetki z drugiego planu nikną w zadymce. Uważa się, że ten dojrzały Chełmoński to malarz z pogranicza realizmu i symbolizmu, że kuropatwy na śniegu to my, przygnieceni życiowymi zmaganiami. Ja widzę tu jednak przede wszystkim uważną obserwację i głębokie rozumienie przyrody. Nie ma potrzeby uwznioślać wybitnego obrazu i obarczać dodatkowym sensem.

Chełmoński maluje *Kurkę wodną, Czajki, Polowanie na głuszca*. Zimową *Sójkę*, która strąca z ośnieżonej sosny biały pył. W 1899 roku powstaje obraz *Jastrząb. Pogoda*. To jakby ilustracja do słów z *Pana Tadeusza*: „Zaś jastrząb, pod jasnymi wiszący błękity, / Trzepie skrzydłem jak motyl na szpilce przybity". Chełmoński uwielbiał Mickiewicza. Nie ujmie to nic geniuszowi wielkiego poety ani wielkiego malarza, jeżeli zauważę, że ten ich drapieżnik wcale na jastrzębia nie wygląda. U Mickiewicza to raczej myszołów albo pustułka, oba ptaki zawisają nad łąką, wypatrując zdobyczy. U Chełmońskiego – najpewniej kobuz: ciemna głowa, wąskie skrzydła i czerwone podogonie. Ptaki drapieżne rzadko widzi się z bliska, nic dziwnego, że dla większości ludzi wszystkie pozostają na zawsze „jastrzębiami".

W Kuklówce jestem po siódmej w dość ponury dzień upalnego lata. Chmury jakby zdeterminowane, żeby oberwać się w końcu długo wyczekiwanym deszczem. Aleja drzew podpowiada niezawodnie, gdzie szukać niewidocznego z drogi dworku. Ale tablice przypominają: „DROGA PRYWATNA", „GOSPODARSTWO ROLNE, WŁASNOŚĆ PRYWATNA". Obchodzę niewielki park, pomiędzy wspaniałymi dębami i lipami naszczekują dwa podwórkowe kundelki. Opadłe liście trzeszczą niedyskretnie pod nogami. Po prawej złote rżysko. Park kończy się polaną, która schodzi łagodnie do ściany olsu. Gdzieś tam między drzewami płynie rzeczka o niepoważnej nazwie – Pisia Tuczna.

Przysiadam na skraju pola i patrzę, jak wśród niskich gałęzi dębu czeka na przelatujące owady muchołówka. Startuje błyskawicznie, zawisa na moment i wraca do swojej czatowni. Notuję w myślach gatunki. Dobiegające z wysoka krakanie kruka, dalekie wołanie żurawi. Niewidoczny dzięcioł bębni w drzewo z impetem. Jakoś za głośno i niestosownie w tej dusznej ciszy, jak starszy człowiek piszący z rozmachem na komputerowej klawiaturze. I kiedy mam się już podnieść, z olsu wybiega dwoje tegorocznych koźląt. Przez chwilę ganiają się po łące jak to dzieci, ostrożna koza stoi pod lasem i uważnie lustruje okolicę. I ja zastygam bez ruchu i patrzę na to widowisko u stóp chełmońskiego dworku.

Sarny znikają dopiero wtedy, kiedy na horyzoncie pojawia się chłopak prowadzący byka. Bydlę protestuje, ale tak jakby je ktoś zakneblował: „Mmmmm mmm mmmmm". Metaliczny dźwięk wbijanego w ziemię palika i byk po chwili strzyże trawę. Chłopak znika, nie patrząc w moją stronę. Spada parę kropel deszczu. Wracam aleją do samochodu. Zaparkowałem przy kamieniu, który w hołdzie „wielkiemu malarzowi wsi polskiej" wystawili mieszkańcy Kuklówki. Z asfaltu sterczy rudy ogon. Z rozjechanej wiewiórki została tylko kita, jak pomniczek upamiętniająca jej śmierć.

„Natura przemawiała do jego wrażliwego umysłu całą różnorodnością swoich objawów; nie tylko kształt, barwa i światło obchodziły go i zajmowały! Starał się on wyrazić muzykę wieczoru, szept skrzydeł nietoperza, cichy lot lelaków, skrzeczenie żab, skrzypienie derkacza i dalekie dudnienie czapli bąka. On pierwszy, a może jedyny namalował chmarę komarów dźwięczących w powietrzu i huczenie lecącego jak kula chrabąszcza. Jemu chodziło o to, żeby wiatr na obrazie świszczał w badylach zwiędłych słoneczników, dzwonił deszczem po szybach i stukał wiadrem wiszącym u żurawia [...]. On robił obrazy, w których z gęstwi mgły miał z dala dolatywać dźwięk dzwonka pocztowego i jęczeć wśród stepów drzemiących w szarym oparze, budząc senne, obmokłe dropie" – pisał o Chełmońskim jego przyjaciel Stanisław Witkiewicz.

1898 rok. Po wodach *Stawu w Radziejowicach* dryfują dostojnie dwa łabędzie. Na drugim brzegu majaczy rozmyta w porannej mgle, ale już opromieniona słońcem wieża zameczku Krasińskich. Dziś mieści się tu muzeum Józefa Chełmońskiego. Ściślej rzecz biorąc – w przylegającym do zameczku pałacu. Cały teren pięknie utrzymany, na balkonie młoda para pozuje do zdjęcia. W muzeum trochę mnie przeganiają: „Proszę przyjść za dziesięć minut, o pełnej godzinie", potem długo czekam, aż pani przy kasie skończy rozmowę. Tłumaczy komuś, że polscy pianiści ćwiczą tu do Konkursu Chopinowskiego pod okiem jakichś amerykańskich specjalistów. Wszyscy chodzą na palcach. Ja mam czekać w pierwszej sali, ktoś mnie wpuści na piętro.

Siedzę przy zgaszonym świetle i patrzę na błotniste roztopy *Przed karczmą* z 1877 roku. W tych ciemnościach wiosenna pustka obrazu jest jeszcze bardziej przygnębiająca. Obok na ścianie *Dropie*. Z bliska siedzący na ziemi ptak świeci do mnie złotym okiem. Pani, która prowadzi mnie po schodach, przypomina surowo, żebym się spieszył, bo na zwiedzanie mam czas do następnej pełnej godziny. Zza drzwi dobiega któryś nokturn Chopina, a ja patrzę na *Wielki piątek*. Teraz *Przed karczmą* wydaje mi się całkiem wesołe. Tam przynajmniej był ten pijany tłum, tańczący dziad, baby w czerwonych chustach. A tu mrok przednówka, martwota suchych badyli na zrudziałej łące. I ten zgnębiony pochód zmierzający do kościoła. Audioprzewodnik głosem podniosłym nieraz wspomina o „pełnej wzruszenia zadumie".

Kaczeńce. Wiosna z 1908 roku. Jasny, świetlisty jak większość późnych obrazów. Żółciutka majowa łąka, wielkie, pogodne niebo i „para bocianów wnosząca spokój", tłumaczy głos w słuchawce. Wystarczy rzut oka na szerokie zaokrąglone skrzydła i krótkie ciemne szyje ptaków, by stwierdzić, że to nie bociany. Problem identyfikacji gatunków nie trapi przesadnie historyków sztuki. Te czarno-białe sylwetki to koziołkujące w powietrzu czajki. Kto choć raz widział ich chwiejny lot tokowy, ten wie, że jest przeciwieństwem statecznego bocianiego szybowania. Czajka ze swoimi podniebnymi ewolucjami jest wiosenną apoteozą życia i witalności.

U Chełmońskiego nie ma nigdy przypadkowych ptaków. Są zawsze konkretne gatunki w przemyślanej scenerii i w bezbłędnie uchwyconym ruchu.

Jeszcze raz zajeżdżam do Kuklówki. Chciałem być jak Chełmoński, przyjrzeć się niebieskim gwiazdkom cykorii na łące, ale przecież muszę rzucić okiem na ten dom. Rżysko patroluje krogulec otoczony przez chmarę jazgoczących jaskółek. Kundelki alarmują, przed budynek wychodzi kobieta, a ja tłumaczę, że nie darowałbym sobie, gdybym nie zajrzał. Po szerokim, zapraszającym geście poznaję, że zdarzają się tu tacy jak ja. Dworek trochę baraczkowaty, z dwuspadowym dachem i przeszkloną werandą. I pięterkiem od strony ogrodu. Wygrzewa się pociemniałym modrzewiem w południowym słońcu. Z ogrodu widok na znajomy olsik, za nim jakiś wielki, szkaradny, pomarańczowy dom. Gospodyni czyta w moich myślach: „Chełmoński widział zupełnie co innego. Tu dawniej były stawy. Wychodził przed dom i od razu mógł malować te swoje kurki".

Sosnówka pachnąca żywicą

Pod koniec lata, kiedy pisklęta są już odchowane, jaskółki porzucają gniazda przyklejone do ścian domów i zbierają się w stada. Sejmikują na drutach linii energetycznych, a wieczorami napełniają trzcinowiska zgrzytliwym świergotem. Aż pewnego poranka przepadają. Ludzie przez wieki zadawali sobie pytanie, co dzieje się z ptakami, które z dnia na dzień znikają i zjawiają się dopiero wiosną. Teorii było sporo. Arystoteles uważał, że jaskółki i jastrzębie kryją się przed chłodem w jaskiniach, skąd wylatują obudzone wiosennym ciepłem. Podejrzewano, że kukułka na zimę zamienia się w krogulca. (Czy dlatego, że oba gatunki mają podobny, niebieskawy odcień piór i charakterystyczne prążki na piersi?)

Olaus Magnus, XVI-wieczny arcybiskup Uppsali, był przekonany, że jaskółki nigdzie nie wędrują, tylko wprost z trzcinowisk, w których spędzają noce, zanurzają się pod wodę. Tam zbijają się w ciasne kłębki, ptak przy ptaku, skrzydło w skrzydło, i czekają na przyjście wiosny. Kiedy robi się cieplej, wylatują spod powierzchni i zabierają się do odbudowy gniazd. Zdarzało się podobno, że rybacy wyławiali zimą odrętwiałe ptaki. Ci bardziej doświadczeni wrzucali je z powrotem w toń, wierząc, że ogrzana jaskółka poleci, ale już po chwili padnie martwa. Teoria arcybiskupa z jakiegoś powodu bardzo długo wydawała się przekonująca. Angielski anatom John Hunter zamknął jaskółki w oranżerii obsadzonej trzciną i ustawił pośrodku balię. O dziwo ptaki nawet się do niej nie zbliżyły. W 1773 roku włoscy uczeni badali, jak długo jaskółka wytrzyma pod wodą. Niezbyt długo, wykazał eksperyment.

A przecież zdawano sobie sprawę z tego, że ptaki migrują. Już w połowie XIII wieku niemiecki cesarz Fryderyk II w swoim dziele *O sztuce polowania z ptakami* pisał o migracji z zaskakującą znajomością rzeczy. Rozumiał, że wędrówka wiąże się z cyklem pór roku, nadchodzącym jesienią chłodem i trudnościami ze znalezieniem pożywienia. Wiedział, że część ptaków migruje wzdłuż wybrzeży, a część dolinami rzecznymi, że jedne lecą nocą, drugie w świetle dnia. Zauważył też, że niektóre gatunki wędrują stadnie, a inne samotnie. Skoro już on zdawał sobie z tego sprawę, jak to się stało, że jeszcze pięćset lat później naukowcy podtapiali jaskółki?

Na Podlasiu śnieg za kolano, w Warszawie topniejąca breja, a Pomorze ma kolor rozmokłych pól i zeszłorocznej trawy. Trochę jakby wrócił późny listopad. Po otwartej przestrzeni człapią sarny i niepłochliwe żurawie. Bus do Dąbek zupełnie pusty, melancholia kurortów poza sezonem. Połowa sklepów zamknięta, atrakcje – odrapane czerwone samochody na żeton i różowe konie z pozytywką – zastygłe w zimowym letargu. Słońce zza drzew rzuca na drogę cień jak przez żaluzję, ale jeszcze nie grzeje. Po ciemnym błękicie nieba przelatuje oślepiająco białe stado łabędzi.

Rudzik w sieci. Przygląda mi się w milczeniu, zrezygnowany i pogodzony z nadchodzącym w jego mniemaniu końcem.

Rzadko próbuje dziobnąć prześladowcę, zresztą jego dziób, marne szydełko na drobne owady, nie robi na gwałtownych palcach człowieka żadnego wrażenia. Co innego dzięcioł duży. Ten walczy ze wszystkich sił, z furią i pogardą śmierci. Jego potężne pazury wbijają się w skórę łatwo i głęboko jak zagięte igły. Tępym dziobem bębni w palce jak w pień drzewa, zadając płytkie, ale bolesne rany. I cały czas krzyczy, krzyczy z przerażenia i złości. Albo sikory. Takie niepozorne, a dotkliwie szczypią w opuszki palców i miękką, bezbronną skórę na wierzchu dłoni. Bezbłędnie trafiają w najczulsze miejsca.

Dlatego na początek dobry jest potulny rudzik. Co za lekcja cierpliwości. „Wyciąganie z siatki jest jak zdejmowanie dziecku sweterka", mówi Justyna. Przytrzymujesz ptaka jedną ręką, drugą odciągasz nitki, a skrzydła poddają się twojemu ruchowi. Działaj zdecydowanie, ale z wyczuciem. Uważaj na filigranowe, cieńsze od zapałki nóżki, zakończone jasną, chropowatą podeszwą. Przytrzymuj stawy. Noga to najdelikatniejsza część rudzika. Ptak nie jest twoim sprzymierzeńcem, nie da się go namówić do współpracy. Zawsze będzie chciał się uwolnić. Ty ciągniesz w swoją stronę, a on miota się ślepo, plącząc głębiej i głębiej w oczka sieci.

Pierwszy – legendarny – dowód ptasich wędrówek przyniosła w 1250 roku pewna jaskółka, której cystersi przytroczyli do nogi kawałek pergaminu z wiadomością. Podobno ptaszek wrócił z odpowiedzią z Azji. Niemal identyczna historia wydarzyć się miała w Polsce. Pewien szlachcic zawiesił na szyi bociana tabliczkę z dumnym napisem: „*Haec ciconia ex Polonia*". Wiosną doczekał się kurtuazyjnej odpowiedzi: „*India cum donis remittit ciconiam Polonis*"*.

---

* „Ten bocian jest z Polski". „Indie zwracają Polakom bociana z darami".

Zdarzało się, że schwytanym, ale niepoturbowanym w czasie polowania ptakom zakładano na nogę obrączkę z datą i herbem łowcy. W 1677 roku Jan III Sobieski miał upolować czaplę, którą trzydzieści lat wcześniej trzymał w rękach Władysław IV. Podobne przypadki zdarzały się również w innych krajach Europy. Czaplę wypuszczono, by sławiła imię polskiego króla, o badaniu jej zwyczajów nikt jeszcze nie myślał. Obrączki zakładano również z nudy. Znany jest przypadek arystokraty, który w czasie rewolucji francuskiej, ukrywając się przed żądnym krwi motłochem, zawiesił miedziany pierścień na nodze jaskółki. Podobno ptak wracał w to samo miejsce przez trzy lata.

Za ojca nowoczesnego obrączkarstwa uznaje się ekscentrycznego duńskiego nauczyciela Hansa Christiana Corneliusa Mortensena. Niels Otto Preuss pisze, że naukowiec oszczędzał na zeszytach i notował na zszytych żółtych kartkach. Żółte, twierdził, mniej męczą wzrok. Pierwsze cynkowe obrączki założył na nogi dwóm szpakom w 1890 roku. Wynalazek okazał się jednak za ciężki. Mortensen zamienił cynk na aluminium i wygrawerował: „VIBORG" (nazwę miasta, w którym żył i prowadził swoje badania) oraz kolejne numery. Obrączki zamykał w metalowych pudełkach z piaskiem. Jego uczniowie mieli je nosić w kieszeniach, tak by twarde ziarenka polerowały ostre krawędzie pierścieni. Wykorzystując budki z automatycznie zamykanym wejściem, schwytał i zaobrączkował sto sześćdziesiąt pięć szpaków. Przez kolejne lata łapał też ptaki innych gatunków. Wkrótce metodą Mortensena zainteresowali się inni naukowcy. W 1903 roku powstała w Rossitten na Mierzei Kurońskiej pierwsza stacja badania wędrówek ptaków.

Z perspektywy namiotu kuchennego zwykły deszcz wydaje się ulewą. Krople uderzają w napięte płótno jak w bęben, dźwięk rezonuje i za chwilę przechodzi w jednostajny łomot. Kiedy pada, obchody ruszają z obozu dwa razy częściej. Trzeba się śpieszyć. Gdy ptaki siedzą w deszczu na gałęzi, chowają głowę między barki, a woda spływa im po piórach pokrywowych jak po płaszczu. Przeczekują. Ale w sieci sytuacja wygląda inaczej. Kiedy próbują się uwolnić, wisząc głową w dół albo leżąc na plecach, przypominają tonącego w lodowatym morzu człowieka. Pióra na brzuchu nasiąkają jak kompres, ciało wychładza się i ptak błyskawicznie traci siły.

Mój strzyżyk zaplątał się koszmarnie i kiedy klęczę nad nim, woda cieknie mi po rękawach prosto na niego. Jest tak mokry, że jego pióra przypominają rzadkie brązowe włosy, spod których wygląda goła skóra. Nawet gdyby mógł uciec, nie byłby w stanie odlecieć. W końcu się udaje, wyplątuję strzyżyka i wkładam go pod ubranie, by ogrzał się o 36,6 stopni mojego ciała. Wcześniej wpuszczam koszulę w spodnie i zaciskam pasek, tak by mokre stworzenie nie powędrowało do majtek. Czuję tylko, jak drobne pazurki drapią po moim brzuchu, a mokra kulka przesuwa się w górę, w kierunku kołnierza.

Strzyżyk nie sprawia kłopotów, gorzej, kiedy trzeba wysuszyć sikorę, która protestuje, szamoce się i mocno szczypie dziobem. Wyciąganie spod ubrania ptaka, który wlazł na plecy i wcisnął się pod łopatkę, to niesamowita pantomima. Najmniej kłopotliwy jest mysikrólik – siedzi pod kurtką posłusznie, możliwie blisko kołnierzyka. Leciutki jak okrywające go piórka, raptem pięć, sześć gramów, sprzeciw wyraża najwyżej cichym popiskiwaniem. Ta potulność może go zgubić, zdarzało się, że ktoś zapominał o ptaszku pod koszulą i wieczorem, przed snem sztywne ciałko wypadało na śliski śpiwór.

Początkowo obrączkowanie spotykało się z protestami miłośników przyrody. Obawiano się, że myśliwi w poszukiwaniu pierścieni z Rossitten będą zabijać ptaki tysiącami. (Zbigniew Swirski jeszcze w wydanej w 1959 roku książce *O wędrówkach ptaków* pisze, że obrączki były zbierane między innymi przez „niecywilizowane plemiona murzyńskie" jako cenne amulety). Niemieccy naukowcy uparcie kontynuowali jednak swoje dzieło, zwłaszcza że przybywało informacji o oznakowanych ptakach. Do końca II wojny światowej w Rossitten zaobrączkowano około miliona ptaków, w czasie radzieckiej ofensywy spłonęła jednak większość zebranych dokumentów. Po klęsce Rzeszy placówka znalazła się w granicach obwodu kaliningradzkiego. Wznowiła działalność w 1956 roku jako Stacja Biologiczna Rybaczij.

W Polsce od przeszło pół wieku ptaki chwyta i obrączkuje Akcja Bałtycka. Powstała w czasach, gdy Wojska Ochrony Pogranicza nieufnie spoglądały w stronę morza. Na zaoranych plażach wyglądano śladów szwedzkich szpiegów. W takich warunkach jesienią 1960 roku kilkoro studentów Uniwersytetu Warszawskiego przez miesiąc obrączkowało ptaki wędrujące przez polskie wybrzeże. Wyniki były na tyle obiecujące, że już po pierwszym sezonie uczelnia zdecydowała się uruchomić działający do dziś program. Akcja bada jesienną i wiosenną wędrówkę. Ta pierwsza trwa długo, bo nie wszystkie ptaki śpieszą się na zimowiska. Niektóre przecież wcale nie wybierają się daleko i jeżeli pogoda pozwala, zostają u siebie jak najdłużej. Ale już wiosenna migracja przypomina gonitwę. Ptaki ścigają się o lepsze terytorium i miejsce na wychowanie potomstwa. Sieci ornitologiczne nie mogą być rozpięte w przypadkowym miejscu, tylko tam, gdzie koncentrują się strumienie migrujących ptaków. Dlatego obozy stają na wąskim przesmyku oddzielającym morze od jeziora

Bukowo, na mierzei Zalewu Wiślanego i na Półwyspie Helskim. Wędrujące wzdłuż wybrzeża ptaki lecą właśnie tędy, niezmienną od tysięcy lat powietrzną autostradą.

Wyplątanego z sieci ptaka wsadzam do bawełnianego woreczka ze ściągaczem. Niektóre drętwieją ze strachu, inne potulnie znoszą ten transport. Są i takie, które pokrzykują oburzone i niestrudzenie szukają wyjścia z więzienia. Gatunków w workach nie można mieszać. Zestresowana sikorka natychmiast uśmierciłaby małego mysikrólika, gdyby przez pomyłkę znalazł się w zasięgu jej dzioba. Drozdy transportuje się w workach pojedynczo. Ale niektórym ptakom towarzystwo nie przeszkadza. Poza sezonem lęgowym raniuszki, tak w niewoli, jak na wolności, lubią się trzymać w stadku. W sieci też łapią się lojalnie – po kilka naraz.

Ptaki w woreczkach niosę do obrączkarza. To on rządzi obozem, decyduje o rozkładzie dnia i zakłada na ptasie nogi metalowe grawerowane pierścionki. Mierzy też i waży wszystkie złapane sztuki. Ja jestem załogantem. Chodzę na obchody, zapisuję wyniki pomiarów, wykonuję polecenia. Kierownicy oczywiście bywają różni. Jedni rządzą twardą ręką, inni stawiają na partnerstwo. Trudna i odpowiedzialna funkcja, bo nie wszyscy mają charyzmę, nie wszyscy lubią rozkazywać, nie wszyscy potrafią działać w stresie.

Opanowanie jest konieczne – w czasie migracji raz na jakiś czas dochodzi do małej apokalipsy. Zwłaszcza przy gwałtownych zmianach pogody, gdy ptaki przerywają wędrówkę i lądują stadnie w tym samym miejscu. Na małej powierzchni tłoczą się ich tysiące. To się nazywa nalot. Las wypełnia się ogłuszającą wrzawą, a ostrożne i nieufne zazwyczaj ptaki wpadają w sieci setkami. Jakby straciły rozum. Kierownik musi ocenić, czy załoga, którą ma w obozie, poradzi sobie z opróżnianiem sieci. Dzięki sprawdzonym procedurom ofiary zdarzają się rzadko. Pierwszeństwo do obrączek mają nerwowe pełzacze i gile. Ptaki, które wpadły w sieci obok siebie, trzeba rozdzielić. W tak stresującej sytuacji mogą się zadziobać. Jeżeli liczba ptaków przekracza możliwości załogi, kierownik może kazać zamknąć sieci do czasu, aż sytuacja się uspokoi.

Skąd ptaki wiedzą, kiedy wędrować? Latem, gdy dzień staje się coraz krótszy i ubywa światła, hormony wywołują zjawisko zwane niepokojem migracyjnym. Zamknięte w klatce ptaki zaczynają obijać się o kraty, próbując odlecieć w kierunku, w którym zwykły wędrować. Pierwsze wyruszają gatunki ciepłolubne, które mają najdalej. To właśnie wewnętrzny, zakodowany w genach zegar podpowiada im właściwy moment. Ich pobyt w Polsce jest krótki, trwa zwykle trzy, cztery miesiące. Złotopiórej wilgi czy szafirowej kraski nie sposób sobie wyobrazić w śnieżnej zadymce albo marcowej chlapie. Krótkodystansowcy, sikory czy mysikróliki, rozpoczynają migrację, kiedy pogoda ostatecznie utrudni im znajdowanie pożywienia. Ruszają w drogę, gdy nie można już dłużej zwlekać. To gatunki raczej odporne na mrozy, a w związku z tym, że zima ostatnio bardziej przypomina jesień, coraz częściej zostają na miejscu.

Gatunki migrujące nocą orientują się na podstawie rozmieszczenia gwiazd. Tak podróżują na przykład gęsi i drozdy. W ciągu dnia zatrzymują się na odpoczynek i żerowanie. W pochmurne noce przerywają wędrówkę. Ptaki lecące w ciągu dnia korygują kierunek na podstawie ruchu słońca na horyzoncie. Ich mózgi dokonują bezwiednie skomplikowanych obliczeń, bo przecież niewielkie odchylenie od kursu oznaczałoby minięcie się z celem o setki kilometrów. Niektóre ptaki rozpoznają z powietrza charakterystyczne punkty i trafiają na miejsce ze zdumiewającą dokładnością. Na przykład młode żurawie wyruszają w pierwszą wędrówkę razem z rodzicami. Ktoś starszy, doświadczony musi im przecież pokazać drogę.

Ale to nie wszystko. Tim Birkhead w porywającej książce *Sekrety ptaków* przywołuje przeprowadzony w latach pięćdziesiątych eksperyment na migrujących nocą rudzikach. Ptaki bezbłędnie wybierały kierunek wędrówki, nawet gdy nie widziały nad sobą rozgwieżdżonego nieba. Nasuwało się podejrzenie, że w jakiś sposób wyczuwają bieguny magnetyczne Ziemi. By się upewnić, naukowcy Frederick Merkel i Wolfgang Wiltschko zmienili kierunek pola za pomocą cewki elektromagnetycznej o dużej mocy. Trzymane w laboratorium rudziki korygowały pozycję, zupełnie jakby obsługiwały kompas. To, w jaki sposób ptaki reagują na pole magnetyczne, wciąż nie jest całkowicie wyjaśnione. Przyjmuje się, że pewną rolę odgrywają w tym mikroskopijne kryształki magnetytu umieszczone w okolicach nozdrzy.

Pierwszy obchód rusza o świcie. Po zaspanym niebie słońce gramoli się z drugiego brzegu jeziora. Wstawanie jest jak wchodzenie pod lodowaty prysznic. Trzeba to zrobić bez zastanowienia, zanim ciało zdąży zaprotestować. Wcześnie rano w namiocie wszystko jest zimne i wilgotne od skroplonego oddechu. Po mroźnej nocy tropik bywa sztywny od szronu jak pergamin. O świcie jest zwykle najwięcej ptaków, przy sieciach spędza się tyle czasu, że po powrocie do obozu trzeba już ruszać na kolejny obchód. Dlatego śniadanie zjada się po drugiej albo trzeciej kontroli. A potem je się bez przerwy, co godzinę, właściwie obóz obrączkarski to festiwal żarcia. Do wieczora czas między obchodami wypełniają jedzenie i picie.

Kanapki z mielonką (tyrolską, angielską, turystyczną), z dżemem, zupka chińska i dużo czosnku. Keczup. Świństwa, których w domu bym nie ruszył, tutaj smakują nadzwyczajnie. Kawa i herbata, fascynująca jest szczególnie minutka, herbata o smaku wrzątku. I co godzinę szybki marsz na duży albo mały obchód, w zależności od warunków – w kaloszach albo woderach. Teoretycznie po każdym kontakcie z ptakami powinno się myć ręce, ale drugiego dnia mało kto już o tym pamięta. Ptaki w emocjach często robią kupę wprost na wyplątujące je palce. Na ogół jest żółtawa, w kolorze rivanolu. Tylko drozdy objedzone jagodami defekują na fioletowo. Podobno podczas analizy bakteriologicznej woreczków do przenoszenia ptaków znaleziono kiedyś laseczki wąglika.

Uczestnicy mówią, że od lat sześćdziesiątych na obozach niewiele się zmieniło. Siłą rzeczy pewne piętno odcisnął postęp technologiczny. Pojawiły się latarki czołówki, które pozostawiają obie ręce wolne, a namioty zamiast troczków mają suwaki. No i w kuchennym namiocie stanęła koza. Przez pół wieku sądzono, że zmiany temperatur będą prowadziły do epidemii przeziębień, aż w końcu ktoś przywiózł kozę i nie było już mowy o powrocie do pionierskich czasów. Nikt nie chciał siedzieć w mokrym ubraniu, grzejąc się w listopadowy wieczór nad płomieniem świeczki. No i zmieniły się standardy etyczne. Weterani znali smak kaczek lodówek (dobry) i biegających brzegiem ostrygojadów (niedobry). Cenne okazy były uśmiercane i wypychane, jak północnoamerykański przybłęda junko. Dziś taki mord, nawet w celach naukowych, trudno sobie wyobrazić.

Człowiek podziwia rekordzistów, tych, którzy skaczą najdalej, biegają najszybciej, podnoszą najwięcej. Ekscytuje się też najładniejszymi, najbogatszymi (najbardziej zaradnymi?) czy po prostu najsławniejszymi. Przenosi te fascynacje na zwierzęta; w telewizji pełno filmów sensacyjno-przyrodniczych o zabarwieniu perwersyjnym – najjadowitsze, najniebezpieczniejsze, najobrzydliwsze. Po co zaprzątać sobie głowę przeciętniakami?

Ptasia migracja to dla mnie największy cud natury. Historię każdej wędrówki można przedstawić jako heroiczną epopeję. Każdy jej uczestnik jest wyjątkowy. Ile przeszkód, niedogodności, niewygód i niebezpieczeństw napotyka na swojej drodze ważąca kilkanaście gramów sikora, która pokonuje jedynie kilkaset kilometrów? Albo pomurnik, ten wysokogórski cudak z karminowymi skrzydłami. Migruje ze skalistych turni w doliny, zaledwie kilka, kilkanaście kilometrów, a przecież to podróż między dwiema rzeczywistościami: z jałowych, chłostanych niemilknącym wiatrem granitowych ścian do bezpiecznych i cichych świerkowych lasów, górskich wiosek, ogrzanych betonowych ścian, gdzie nawet zimą roi się od owadów.

Ale tacy już jesteśmy, zapamiętujemy tych, co prężą się na podium. Jak nie podziwiać rybitwy popielatej, która w poszukiwaniu niekończącego się dnia wędruje z Grenlandii na Antarktydę? Rocznie ten największy ptasi podróżnik przemierza siedemdziesiąt tysięcy kilometrów i jest najbardziej nasłonecznionym organizmem na ziemi. Kiedy kończy się grenlandzkie lato, rybitwa wyrusza na południe, w okolice drugiego bieguna. Tam właśnie wszystko budzi się do życia po polarnej zimie. Rybitwa pokonuje Atlantyk wzdłuż, ale nierzadko i wszerz – ptaki lecące wybrzeżami Europy przelatują czasem do Ameryki Południowej i tam kontynuują podróż. Żyjąca nawet trzydzieści lat rybitwa (to się zdarza) ma więc na liczniku przeszło dwa miliony kilometrów przebiegu. Jak wygląda ten heros? To raczej niewielki, biało-szary ptak z czarną czapeczką, ostro wykrojonymi skrzydłami i rajsko wydłużonym ogonem. Może stąd łaciński przydomek *paradisaea*?

Ostatni dzienny obchód wyrusza w ciemnościach rozproszonych jedynie światłem LED-owych żarówek. Pełzające cienie gałęzi, fosforyzujące pnie brzozy, niespodziewane podmuchy wiatru i drżące liście drzew. Czasami dudnienie przebiegających w mroku dzików, czasem plusk zanurzającego się w jeziorze cielska. A potem cisza, słychać tylko szum wiatru i własny oddech. I niekiedy mignie cień spłoszonego ptaka. Na wydmie skrzydłem ociera się o mnie strzyżyk. Podlatuje jak duża, brunatna ćma, siada na niskiej sośnie i patrzy zahipnotyzowany światłem. Gaszę na moment czołówkę. Po chwili ciemna, kulista sylwetka zeskakuje gdzieś na niższe gałązki.

Staram się nie myśleć o starych jabłoniach koło kempingu, niewyraźnych zarysach fundamentów i o tym, że na naszej bezludnej mierzei przed wojną żyli i umierali ludzie. Nocny obchód budzi irracjonalne myśli. To prawda, bywa nieprzyjemnie, ale nie można po prostu przebiec obok siatek. Trzeba dokładnie obejrzeć dolne półki, bo to w nie najczęściej wpadają przemykający w gąszczu nocni maruderzy. Nie wystarczy rzucić okiem, najlepiej obejść uważnie całą sieć. Wiszące nad ziemią ptaki w słabym świetle wyglądają zupełnie jak opadłe liście. Po zmierzchu właściwie przestają się bronić, wyrwane z odrętwienia są bezwolne. Oślepione blaskiem latarki nie próbują nawet wyślizgnąć się z ręki. W brzozowym lasku jest ciemno, niebo słabo prześwieca między drobnymi liśćmi. Zestresowany, wiszący w nienaturalnej pozycji, przemoczony rosą ptak szybko się wyziębi i rano będzie tylko wiotkim strzępkiem pierza.

Przy wydmowej siatce w obłoku miękkiego puchu znajduję martwego kosa. W uchylonym oku nie ma już życia. Głowa kolebie się bezwładnie, zwiotczałe i jeszcze ciepłe ciało gładko wysuwa się z sieci. Na plecach dwa małe otworki, z których wylało się niewiele krwi. Kosy mają słabe serca, a ten pewnie przysypiał już na gałęzi, kiedy coś go zaatakowało. Drozdy w sieci panikują, trzepią skrzydłami, bezsilnie szorują brzuchem wzdłuż półki. Ich trasę po półce znaczą pasy wyrwanych piór. Ten nocny kos rzucił się do ucieczki, wpadł w sieć i widać serce nie wytrzymało. Nie tylko ludzie boją się w nocy.

Podziwiam szlamniki. Te długodziobe morskie ptaki, które w locie kształtem przypominają wrzeciono, przelatują z lęgowisk na Alasce do Nowej Zelandii. Jedenaście tysięcy kilometrów. Nie chodzi jednak o odległość, ale o to, że szlamnik pokonuje ją bez przerw, lecąc dniem i nocą przez osiem dni. Przecina więc ogromny Pacyfik w ciągu jednego rajdu. Podczas lotu szlamniki „spalają" jako źródło energii część dróg pokarmowych, a nawet mięśni utrzymujących je w powietrzu. Z każdą chwilą ptak jest lżejszy, więc i organizm potrzebuje mniej siły, by się przemieszczać. Szlamnik prawdopodobnie zbliżył się do granic możliwości, jeżeli chodzi o aerodynamikę sylwetki i gospodarowanie energią. Jego wędrówka bez przystanków nie ma sobie równych z jednej prostej przyczyny – na ziemi nie ma dłuższego dystansu, którego pokonanie musiałoby się odbywać nieprzerwanym lotem.

Nie mniej imponująca jest sztuka, której dokonują ważące trzy gramy kolibry. One w drodze na kubańskie zimowiska przemierzają Zatokę Meksykańską. Wyobraźmy sobie tę kruszynę, przez kilkaset kilometrów wystawioną na pastwę karaibskich wiatrów, tak łatwo zamieniających się w huragany. Ile gramów dociera do celu? Czy ptaki ważące tyle co łyżeczka soli mogą być jeszcze cieniem samych siebie? Zresztą podobny przykład znamy z naszych okolic. Mysikróliki, najmniejsze ptaki Europy, przelatują przez Bałtyk ze Szwecji. Często siadają na plaży wyczerpane, wprost pod nogami spacerujących. Minie trochę czasu, zanim ogrzeją się w słońcu, nabiorą sił i będą w stanie ruszyć w nadmorskie sosny w poszukiwaniu drobnych owadów.

Ptaki zdolne są do wielkiego wysiłku na wysokościach, na których dla człowieka każdy krok jest męczarnią. Gęsi tybetańskie regularnie przelatują Himalaje, widywano je na wysokości zbliżonej do Mount Everestu. Niewiele gorsze osiągnięcia mają widywane z samolotów dostojne łabędzie krzykliwe, które przecież żyją również w Polsce. Rekordzistą jest jednak sęp plamisty obserwowany na niedostępnych jedenastu tysiącach metrów. Na niemal czterech tysiącach przelatują czajki, na nieco niższym pułapie migrują stadnie kwiczoły, które jesienią objadają miejskie jarzębiny i zdziczałe jabłonie.

Smukłe, eleganckie szlamniki zanurzają w piasku długie dzioby aż po szyję. Żaden ptak na tej plaży nie sięga tak głęboko. Fale goni jasny piaskowiec, który zebrał jakieś drobinki z odsłoniętej na moment łachy. Dzioby ptaków siewkowych różnią się długością i kształtem. To wyspecjalizowana aparatura zdolna wychwycić najdrobniejsze drgnienie podłoża. W ujściu Wisły siewkowce obrączkuje Grupa Badania Ptaków Wodnych „Kuling". Tu nie ma sieci, tylko tak zwane wacki, czyli pułapki tunelowe. Ustawione na ziemi wyglądają jak wielkie czteronogie pająki z oplecionymi siatką kwadratowymi korpusami. W stronę dwóch wejść kierują długie ramiona, inaczej płotki. Żerujące na linii przyboju ptaki idą wzdłuż płotków prosto do siatkowej komory. Dostać się do wnętrza wacka jest łatwo, trudniej z niego wyjść.

Uczestnicy obozu mieszkają w domku na plaży na terenie rezerwatu Mewia Łacha. Nawet w sierpniu o piątej rano bałtycka plaża jest lodowata i twarda jak asfalt. Niewysoko przelatuje stado kulików z długimi, melancholijnie zagiętymi dziobami i kieruje się w wąską gardziel ujścia Wisły. Pierwszy obchód to żmudne wyciąganie z wody pułapek zakopanych w naniesionym przez morze piachu. Ptaki zaczną żerować dopiero za jakiś czas. Do metalowego szkieletu przykleiły się długie, miękkie brody glonów. Na plaży wśród milionów pokruszonych muszelek leżą tysiące śmieci. Grillowe widelce z wyłamanymi przez fale ząbkami, butelki i dziesiątki plastikowych koszyczków po odświeżających kostkach klozetowych. Co za bezsensownie długowieczny przedmiot. Podpaski na falach kołyszą się jak małe płaszczki, poruszając majestatycznie skrzydełkami.

Najpierw jest ten różowawy poblask i pomarańczowy sierp słońca powoli wynurza się zza horyzontu. We mgle rozpływa się gdzieś granica między wodą a niebem. Zresztą tu wyraźnie widać ich pokrewieństwo. Rano morze jest niespokojne, pieni się wściekłymi grzywami, a niebo pokryte białymi strzępkami zwiastuje niespodzianki. W południe rozgrzany piasek będzie parzył bose stopy. Na niebie wykwitną olbrzymy cumulusów i otoczą plażę ze wszystkich stron. Pod wieczór przerażający, granatowy cień cumulonimbusa przygniecie ziemię swoim ogromem. Burza na bezdrzewnej, płaskiej plaży to kataklizm. Nic dziwnego, że piorun był atrybutem najpotężniejszych bóstw.

Kiedy zbliża się pora wędrówki, ptaki gromadzą energię. Hormony wzmagają apetyt. Rokitniczka, mały trzcinowy ptak z pasiastą głową, obżera się tak kompulsywnie, że podwaja swoją masę. Dzięki temu może pokonać trzy tysiące kilometrów nieprzerwanym lotem. Trwa to zwykle trzy, cztery doby. Ilość tłuszczu mówi nam zresztą wiele o kondycji ptaka. Obrączkarz kładzie ptaka grzbietem na wewnętrznej stronie dłoni, chwyta jego głowę między drugi a trzeci palec i przeciągle dmucha w okolicę mostka. To miejsce nazywa się *furculum*. Spod piór błyska gołe ciało. Ilość tłuszczu na ptasim brzuchu obrączkarz ocenia w skali od 0 do 8. Zero i jeden to słabe rokowania na powodzenie migracji.

Dla wędrowca ważna jest pogoda. Wiele ptaków gubi się we mgle, inne, zdmuchnięte z kursu przez silny wiatr, trafiają w zupełnie nieoczekiwane miejsca. Walka z przeciwnościami nie tylko wydłuża wędrówkę, ale też odbiera zapasy energii. Chociaż ptaki potrafią oszczędzać siły. Skryte i niepozorne kapturki mogą obniżać nocą temperaturę ciała, tak by zużywało mniej energii. Pliszki żółte i świergotki, kiedy przelatują przez pustynię, przeczekują największy upał w skalnych niszach. Ptaki błyskawicznie reagują na zmiany pogody. Gdy wieje od przodu, lecą nisko nad ziemią, chowając się za wybrzuszeniami terenu. Kiedy wiatr popycha z tyłu, wznoszą się wysoko, by maksymalnie wyzyskać sprzyjające podmuchy.

Trudy tej wędrówki pokazuje film *Makrokosmos*, monumentalna opowieść o ptasiej migracji. Coś pomiędzy fabułą (mamy tu powracającego bohatera – gęś z kawałkiem sieci przyczepionym do nogi) a dokumentem przyrodniczym. Półtorej godziny praktycznie bez słowa. Tylko muzyka (wzruszenia zapewnia szantaż emocjonalny w wykonaniu instrumentów smyczkowych) i odgłosy natury. Błękit polarnych lodów, rdza amerykańskiej pustyni, zieleń ryżowych pól i ujęcia z kamery towarzyszącej migrującym stadom. No i niebezpieczeństwa. Dymy kombinatów, kałuże ropy, pułapki zastawione przez myśliwych, ale i gwałtowne sztormy, które zmuszają bernikle białolice do odpoczynku na okręcie wojennym. Rybitwa wlokąca za sobą złamane skrzydło nie ma żadnych szans. W obliczu śmierci głodowej to właściwie akt łaski, że zostanie zjedzona przez osaczające ją kraby. Co roku w czasie migracji ginie nawet osiemdziesiąt procent młodych i połowa dorosłych jaskółek z Wielkiej Brytanii. Trzy czwarte odchowanych z takim trudem bocianów nie wraca wiosną do Polski. Selekcja naturalna jest bezwzględna – przetrwają najsilniejsi i najsprytniejsi.

Nie jestem obrączkarzem, nie analizuję tabelek, kolumn wypełnionych cyframi, nie monitoruję szlaków wędrówek, nie śledzę zmian liczebności. Kontroluję sieci, wyplątuję schwytane ptaki, rąbię drwa, gotuję obiad. Pomagam naukowcom. To oni w czasach zmian klimatu, przekształceń krajobrazu, rosnącej presji człowieka muszą trzymać rękę na pulsie. A ja patrzę w bursztynowe oko czubatki. Sprawdzam, że łozówka ma faktycznie wyjątkowo miękkie pióra, a sosnówka pachnie żywicą. Nigdzie nie będę bliżej ptaków.

James Bond i spółka

Urodził się w 1900 roku w Filadelfii i przez całe życie było w nim coś XIX-wiecznego. Przyrodą interesował się od dzieciństwa. Najcenniejsze okazy motyli do gablotek przywiózł mu pewnie ojciec, kierownik wyprawy naukowej w deltę Orinoko. Matka zmarła w roku wybuchu Wielkiej Wojny. Osieroceni ojciec i syn przenieśli się do Anglii, gdzie chłopiec ukończył prestiżową szkołę Harrow, a później Uniwersytet Cambridge. Po studiach wrócił do Stanów Zjednoczonych i objął posadę bankiera w rodzinnym mieście. Pracę porzucił jednak po kilku latach, by wziąć udział w ekspedycji w dolny bieg Amazonki. Był kimś w rodzaju skryby. Opisywał pozyskane gatunki. Po powrocie zajął się awifauną Karaibów, ptakami żyjącymi na setkach wysepek rozrzuconych po oceanie.

W 1936 roku wydał swoje największe dzieło, wielokrotnie wznawiany przewodnik po karaibskich gatunkach *Birds of The West Indies*, znany również pod nieco dłuższym tytułem *Field Guide to Birds of the West Indies: A Guide to All the Species of Birds Known from the Greater Antilles, Lesser Antilles and Bahama Islands*. Stale publikował w fachowych pismach. Dowiódł między innymi, że karaibskie ptaki pochodzą od gatunków północnoamerykańskich. W uznaniu dla jego zasług przyznano mu medal Brewstera, najwyższe odznaczenie Amerykańskiego Stowarzyszenia Ornitologicznego. Zmarł w 1989 roku w Filadelfii. Nazywał się Bond. James Bond.

Peter Cashwell, z zawodu nauczyciel i językoznawca, w książce *The Verb 'To Bird'* pisze o syndromie BCD, *Birding Compulsive Disorder*. Wymyślona przez niego jednostka chorobowa to typowe dla ornitologów skupienie całej uwagi na ptakach. Syndrom odpowiada za gwałtowne hamowanie bez oglądania się w lusterka na ruchliwej drodze, kiedy na poboczu mignie coś ciekawego. To on sprawia, że ptasiarz w środku dyskusji ucisza wszystkich syknięciem i unosi palec w kierunku, z którego dobiega interesujący dźwięk.

„To nie jest hobby, tak jak nie jest nim kichanie ani lubienie niebieskiego. To jest jedna z tych rzeczy, o których nie można zdecydować, tylko coś, przed czym nie sposób się powstrzymać" – pisze Cashwell o ptasiarstwie. Jest typowym przedstawicielem swojej klasy: ma w domu kolekcję płyt i sporą biblioteczkę. Wie, kim są znani pisarze i dlaczego powinniśmy ich cenić, może dyskutować z dużą swobodą o dalekowschodniej filozofii albo operze, ale wszystko to idzie w kąt, kiedy w karmniku siada jakiś ciekawy okaz. Każdy ptasiarz, niezależnie od okoliczności, biegnie wtedy po lornetkę.

Dla Cashwella przykładem ataku BCD jest trzydzieści zdjęć mew, które zrobił w czasie wakacji z odległości pół kilometra. I podaje opis chorego utrzymany w stylu Oliviera Sacksa: „W środku jego wiecznie obracającej się czaszki jest zwyczajny ludzki mózg wykazujący normalną inteligencję. Niestety dotknięty tą przypadłością człowiek nie jest w stanie robić normalnych rzeczy – czytać książki, pojechać do sklepu czy bawić się z dziećmi na dworze – bez kręcenia głową po zarejestrowaniu choćby najmniejszego ruchu. Gdzieś w jego mózgu tkwi nieuleczalna skaza, która nie pozwala mu zaznać spokoju. Na zawsze jest zamknięty w więzieniu zwanym BCD".

Absolwenci politechnik, szkół podstawowych i filologii wschodniosłowiańskich. Górnicy, przedstawiciele handlowi i bezrobotni. Bogacze obwieszeni sprzętem Swarovskiego za dwadzieścia pięć tysięcy i skromni posiadacze radzieckich lornetek, przez które świat wydaje się trochę bardziej żółty. Ptasiarstwo jest demokratyczne. Jedyny realny podział przebiega na linii: amatorzy–naukowcy, choć czasem kompetencje jednych i drugich zaskakująco się uzupełniają. Ci pierwsi bywają bardziej impulsywni. Skłonni pochylać się nad losem każdego stworzenia i działać z fantazją, do której skłania ich czasem beztroska ignorancja. Ci drudzy z kolei widzą szerszy plan. Fachowe wykształcenie pozwala im lepiej rozumieć skomplikowane mechanizmy, które rządzą światem przyrody.

Nigdy nie myślałem na poważnie o zostaniu profesjonalnym ornitologiem. Bałem się, że studiowanie biologii będzie nudne i trudne. W domu nikt nie miał ścisłego wykształcenia, ostatecznie pociągnęło mnie więc na wydeptaną ścieżkę. Witek, z wykształcenia fizyk, opowiedział mi historię, która jego zdaniem mówi coś o niepokojącym, chociaż skrajnym aspekcie profesjonalnej ornitologii. W fachowym piśmie przeczytał artykuł o częstotliwości sondowania podłoża przez jakiegoś brodźca. Badacz po prostu liczył, jak często żerujący ptak wsadzał dziób w przybrzeżne błoto. Trudno myśleć o podobnym zajęciu z entuzjazmem.

Najciekawszym miejscem wymiany myśli profesjonalistów i amatorów są chyba fora i listy mailingowe. Ptasiarze dzielą się obserwacjami z okolicy, fachowymi artykułami i ciekawostkami. Świetnym przykładem BCD jest moja ulubiona historia o ornitologu oglądającym wiadomości. To był „Teleexpress". W materiale występował Muniek Staszczyk – stał i opowiadał o czymś w ogrodzie, a zza jego pleców dało się słyszeć charakterystyczny ptasi głos. Ornitolog robił coś w innym pokoju, ale zastrzygł czujnie uszami. To był śpiew wójcika. Nie wiem, o czym mówił Muniek, to akurat nikogo z uczestników dyskusji nie obchodziło. Ciekawy był tylko ten mały syberyjski ptak z rodziny świstunek, który jest na Mazowszu rzadkością.

Podobnie jest z filmami. Wielokrotnie dyskutowano o ścieżkach dźwiękowych, na których słychać nieadekwatne do pory roku ptasie głosy. Marcowy Kraków z pryzmami topniejącego śniegu w *Katyniu* Wajdy, a nad dachami pisk jerzyków, które przylatują w maju. Głosu wilgi odlatującej do Afryki już w sierpniu można posłuchać w jakimś jesiennym odcinku *Stawki większej niż życie*. Zimowy *07 zgłoś się* rozbrzmiewa podobno wiosennym derkaniem derkacza. Ale zdarzają się też inne dziwactwa. Komputerowe sępo-kruki w *Królestwie niebieskim* Ridleya Scotta nawołują głosami... żurawi. No i zaobrączkowany bocian nad „polami malowanemi zbożem rozmaitem" w *Panu Tadeuszu* Wajdy.

Ian Fleming, były agent brytyjskiego wywiadu, spędzał wakacje w swojej willi na Jamajce. Od dawna nosił się z zamiarem napisania cyklu powieści szpiegowskich. Jako zapalony ptasiarz miał w swojej bibliotece egzemplarz *Birds of the West Indies*. W chwili gdy jego wzrok padł na grzbiet książki, Fleming już wiedział, jak będzie się nazywał jego bohater. Pierwsza część przygód Jamesa Bonda, agenta Jej Królewskiej Mości z licencją na zabijanie, stała się bestsellerem.

Filadelfijski ornitolog przez kilka lat nie zdawał sobie sprawy, że na świecie furorę robi szpieg numer 007, który przedstawia się jego imieniem i nazwiskiem.

Kilka lat po ukazaniu się *Casino Royale* żona pana Bonda napisała do Fleminga pełen oburzenia list. Jak można bez zgody używać czyjejś tożsamości? Szczególnie że chodzi o szacownego naukowca! Flemingowi chyba zrobiło się głupio, ale tłumaczył się dość niezręcznie: „Uderzyło mnie, że to krótkie, niezbyt romantyczne, anglosaskie i bardzo męskie nazwisko. To było właśnie to, czego szukałem – tak powstał drugi James Bond". Proponował zadośćuczynienie: „W zamian oferuję Pani albo Jamesowi Bondowi możliwość nieograniczonego korzystania z imienia i nazwiska Ian Fleming w dowolnym celu. Być może Pani mąż odkryje jakiś szczególnie podły gatunek ptaka, który będzie chciał napiętnować, nazywając go Ianem Flemingiem".

Fleming napisał również list do samego Bonda. Nieco spóźnione pytanie o zgodę na użycie swego imienia i nazwiska ornitolog skwitował krótko, po bondowsku: „W porządku". Przeprosiny zostały przyjęte. Bond z żoną odwiedzili później pisarza w jego jamajskiej posiadłości. W 1964 roku Fleming przesłał ornitologowi najnowszą książkę o przygodach 007 *Żyje się tylko dwa razy* z dedykacją: „Prawdziwemu Jamesowi Bondowi od złodzieja jego tożsamości". Kilka lat temu egzemplarz sprzedano na aukcji za przeszło osiemdziesiąt tysięcy dolarów.

Polska terminologia ornitologiczna ma pewne braki. Nie dorobiliśmy się jeszcze trafnych odpowiedników słów *birdwatching* czy *birdwatcher*, które pozwalają Anglikom nazwać czynność polegającą na nieprofesjonalnym podglądaniu ptaków. A tych amatorów jest przecież znacznie więcej niż wykształconych profesjonalistów. Polskie „ptasiarstwo" i „ptasiarz" sprawdzają się w języku potocznym, ale wypowiedziane oficjalnie brzmią trochę infantylnie. Dziecinny jest „ptakolub", „ornitolog amator" – niepoważny i tylko podkreśla brak kwalifikacji. „Obserwator ptaków" to najwyżej synonim, a „ornitolog" to jednak termin zarezerwowany dla fachowców. Użycie tego słowa we własnym kontekście nie przechodzi mi przez gardło. Zataczamy koło. Chyba jednak „ptasiarz".

Śmierć nadejdzie jutro to jeden z tych kiepskich, nieróżniących się od siebie Bondów z Pierce'em Brosnanem w roli głównej. To nie wina irlandzkiego aktora, moim zdaniem był akurat niezłym 007, trochę w stylu Rogera Moore'a. Wymuskany, ale z poczuciem humoru. Rzecz w tym, że na przełomie wieków Bondy zamieniły się w tandetne filmy sensacyjne, wyprodukowane tak, jakby kino zatrzymało się dwadzieścia lat wcześniej. Nieprawdopodobne wyczyny głównego bohatera należały do konwencji serii, ale teraz scenarzyści przechodzili już samych siebie. Nawet piosenki do kolejnych filmów były coraz słabsze. Fabuła nie miała już też wiele wspólnego z powieściami Fleminga.

Śmierć nadejdzie jutro powstał czterdzieści lat po pierwszym filmie o Bondzie, dlatego ukryto w nim nieskończoną liczbę nawiązań do poprzednich odcinków. Nie miałbym żadnego powodu, żeby o tym filmie pamiętać, gdyby nie jeden wątek. Bond w pościgu za północnokoreańskim agentem Zao trafia do Hawany. Tam w biurze Raoula, uśpionego agenta i dyrektora fabryki cygar, przegląda książki na półce. Wybiera jedną i rzuca okiem na okładkę (a my razem z nim): *Birds of the West Indies*. Nazwisko autora jest niewidoczne. Bond pożycza od Raoula książkę i lornetkę.

W następnej scenie lustruje skalistą wyspę, na której ukrywa się Koreańczyk. Nie byłby jednak sobą, gdyby nie wypatrzył wynurzającej się z wody piękności (Halle Berry). To nawiązanie do słynnej sceny z pierwszego Bonda, *Doktora No*, w której posągowa Ursula Andress wyłania się z morza niczym Wenus Botticellego. Dziewczyna, którą spotyka nasz Bond, ma na imię Jinx, czyli fatum albo ta, która przynosi pecha. Urodziła się w piątek trzynastego. Bond, mrużąc zalotnie oczy, tłumaczy, że przyjechał na Kubę obserwować ptaki. A Jinx sama jest ptakiem, choć może o tym nie wie. Nosi imię nimfy, która rzuciła urok na Zeusa i którą Hera z zemsty zamieniła w ptaka. *Jynx torquilla* to łacińska nazwa krętogłowa. Jedyny dzięcioł, który nie kuje dziupli, a niepokojony wściekle syczy i kręci głową jak wąż.

Ptaki Alfreda Hitchcocka to jeden z niewielu filmów, w których ptaki dostały liczącą się rolę. Szkoda tylko, że raczej negatywną. Aby uzyskać realistyczny efekt, w czasie jednej ze scen ekipa rzucała w Tippi Hedren żywymi ptakami. Po tygodniu zdjęcia trzeba było przerwać, żeby aktorka mogła dojść do siebie. Z dzisiejszej perspektywy narysowane na taśmie wrony nałożone na kadry z aktorami wydają się raczej komiczne. Podobnie zresztą wypchane eksponaty przyczepione do ubrań uciekających ludzi. A mimo to obraz wirującego stada, irracjonalnego żywiołu jest bardzo sugestywny. Zapisuje się gdzieś w podświadomości i nikt, kto widział *Ptaki*, nie spojrzy beznamiętnie na posępne, kraczące kotłowaniny gawronów i kawek. Albo na zlatujące się o zmierzchu, wielotysięczne stada szpaków, które napełniają wieczorną ciszę jazgotem i niepokojem.

W *Ptakach* napastnikami nie są drapieżniki, maszyny do zabijania z ostrymi jak brzytwa szponami. Zagrożenie ma przerażająco znajome i niewinne oblicze. W filmie Hitchcocka ludzi atakują stadne ptaki żyjące obok nas – mewy, wrony, wróble, szpaki. Chociaż akurat mewy, to prawda, w miastach portowych umieją poczynać sobie dość śmiało. Pamiętam, jak na molo w Brighton porywały jedzącym turystom zawartość talerzy. Były ogromne i bezczelne, ich żółte dzioby z czerwoną kropką budziły respekt i mało kto ośmielał się protestować. Ludzie pokornie wsuwali ocalone resztki w nadziei, że zdążą, zanim mewy wrócą.

Ptaki Hitchcocka zachowują się nienaturalnie. W jednej ze scen wrony bezszelestnie gromadzą się przed szkołą. Każdy, kto choć raz widział stado wron (czy innych krukowatych), wie, że w grupie są raczej hałaśliwe. Teraz ewidentnie coś knują (kolektywnym umysłem). Kiedy przed budynkiem pojawiają się dzieci, stado napada na nie z wrzaskiem. Sojuszniczką wron jest jędzowata, irytująco zarozumiała ornitolożka. Twierdzi, że ptaki „przynoszą światu piękno", i opowiada od rzeczy o ich dorocznym liczeniu. Wszystko w jej wyglądzie mówi wyraźnie, że to stara dziwaczka.

Widz nabiera chęci, by rzeczywistość utarła jej nosa. I faktycznie, wkrótce mewy atakują, jakby ulegając temu życzeniu. W środku miasteczka wywołują pożar. Ornitolożka jest zdruzgotana, jej idealistyczna wizja świata właśnie legła w gruzach.

Slavoj Žižek tłumaczy *Ptaki* Freudem. Agresja zwierząt jako emanacja napięcia seksualnego między trójką bohaterów. Czy stado wylatujące z kominka to eksplozja kazirodczej energii matki, która nie chce się dzielić synem z jego narzeczoną? No nie wiem. Ja w swojej powierzchownej interpretacji skupiam się na postaci ornitolożki. Hitchcock staje po stronie tych, którzy kwestionują autorytety i których denerwuje wymądrzanie się ekspertów. Bo przecież nie wszystko da się wytłumaczyć. „Dlaczego one to robią?" Nie wiemy i się nie dowiemy. Film zasiewa w nas poczucie, że rzeczywistość może się przeciwko nam zbuntować. Szkoda, że Hitchcock wybrał akurat ptaki, by zilustrować tę myśl.

W 2005 roku Jonathan Franzen, jeden z najwybitniejszych współczesnych pisarzy amerykańskich, napisał esej o tym, jak wpadł w ptasiarstwo. Tekst nosi tytuł *My Bird Problem*, tak jakby, niczym u Cashwella, znów chodziło o chorobę lub uzależnienie. Nie czytałem nigdy niczego, co trafniej opowiadałoby o uczuciach człowieka ogarniętego tą dość szczególną pasją. Tekst zaczyna się od opisu południowoamerykańskiej sterniczki maskowej. Autor widzi kaczkę przez chwilę, ptak kryje się w trzcinach. W drodze do samochodu Franzen natyka się na ptasiarzy, którzy podekscytowani jego odkryciem dopytują o szczegóły i notują sobie jego nazwisko. W siedzibie rezerwatu pisarz w specjalnym zeszycie zaznacza miejsce swojej obserwacji.

A potem nadchodzą tortury wątpliwości. Czy to rzeczywiście była sterniczka maskowa, czy tylko fatamorgana, marzenie o rzadkim, niespotykanym gatunku? Może ostre popołudniowe światło sprawiło, że kolory na ptasim policzku wydały się jaśniejsze i z częściej spotykanej sterniczki jamajskiej zrobiła się ta maskowa? Samice obu gatunków są do siebie całkiem podobne. Franzenowi nie chodzi nawet o problem poprawnej identyfikacji, ale o reputację. Jeżeli nikt nie potwierdzi jego obserwacji, wyjdzie na to, że Franzen zwyczajnie się nie zna. Teraz boi się kompromitacji.

Obecności kaczki nie potwierdza później żaden obserwator, a Franzen przyznaje się do serii wpadek w kolejnych dniach wycieczki: pomylenia cyraneczki karolińskiej ze świstunem, pośpiesznego i błędnego oznaczenia sokoła wędrownego (który w rzeczywistości był rybołowem). Dążenie do nieomylności w identyfikacji ptaków jest obsesją każdego ambitnego ptasiarza. Mniej doświadczeni mają skłonność do wygłaszania przedwczesnych opinii, wyjadacze wydają werdykt z większym opanowaniem. Ileż to razy pośpieszyłem się z identyfikacją.

Pewnego wiosennego poranka chodziliśmy z J. po nadpilickich łąkach. Nagle, błyskając białymi sterówkami, spod nóg zerwał się nam brązowy ptak. „Dubelt", orzekłem z pełnym przekonaniem, choć jego wizyta w tych stronach byłaby małą sensacją. Mój towarzysz zwiesił bezradnie głowę nad zrobionym przed chwilą zdjęciem. Ja nie chciałem nawet słyszeć o wątpliwościach. Mimo to J. rozjaśnił i wykadrował zdjęcie, wysłał je na listę mailingową, a tam mądrzejsi koledzy pogratulowali nam obserwacji… krzyżówki. Jak mogłem się aż tak pomylić?

Franzen nie byłby jednak wybitnym prozaikiem, gdyby pisał wyłącznie o identyfikacji kaczek. W *My Bird Problem* opowiada o swoim kryzysie małżeńskim i zaczynaniu od nowa. Pisze o poszukiwaniu filozofii życiowej i o rozumieniu przyrody. Zwierza się, że obserwacja ptaków była dla niego ucieczką od problemów codzienności. Ale podglądaniem zajmował się okazjonalnie. Dopiero gdy znajomi pokazali mu w miejskim parku drozdka brunatnego, pisarz wpadł w ptaki po uszy. Czemu to akurat ten mało efektowny drozdek tak bardzo go poruszył, nie jestem w stanie pojąć.

Franzen zainteresował się ptakami stosunkowo późno, mimo że chodził do klasy z córką Phoebe Snetsinger, legendy amerykańskiej ornitologii. Kiedy w 1981 roku zdiagnozowano u badaczki czerniaka, postanowiła spędzić pozostałe jej miesiące życia wyłącznie na obserwacji ptaków. O pieniądze na wyprawy nie musiała się martwić, była córką magnata reklamowego Leo Burnetta. Snetsinger przeżyła jeszcze dwadzieścia lat, a podróże po świecie przerywała jedynie, gdy potrzebne były kolejne sesje chemioterapii przy nawrotach choroby. Ostatecznie śmierć, wisząca nad nią przez lata, zabrała ją zupełnie niespodziewanie. Snetsinger zginęła na Madagaskarze w wypadku samochodowym. Zobaczyła właśnie wangę maskową, kiedy kierowca samochodu, którym jechała, zasnął i pojazd dachował. Jej ptasi licznik zatrzymał się na rekordowych w tamtym czasie ośmiu tysiącach czterystu pięćdziesięciu gatunkach.

Podczas jednej z ptasiarskich eskapad Franzena dopada następująca myśl: „Dobrze przystosowane chmary stadnych ptaków południowej Florydy, zarówno gołębie miejskie i wilgowrony, jak i bardziej dostojne, ale równie oswojone pelikany i kormorany, wydały mi się zdrajcami. Pstra zgraja skromnych biegusów i sieweczek na plaży przypomniała mi o ludziach, których kochałem najbardziej – tych, którzy nie pasowali, outsiderów. [...] Powtarzano mi, że antropomorfizacja jest zła, ale nie mogłem sobie przypomnieć dlaczego".

Sieweczki, drobne, płochliwe ptaki, jak wszystkie siewkowe unikają ludzi i słabo adaptują się do zmian środowiska. Nie potrafią korzystać z odpadków cywilizacji jak wymienieni wcześniej „zdrajcy". Wyznawcą podobnej filozofii uczynił Franzen Waltera, bohatera swojej najbardziej znanej powieści *Wolność*: „Odczuwana przez niego miłość do stworzeń, których siedliska chronił, oparta była na projekcji: na identyfikowaniu się z ich życzeniem, by hałaśliwe istoty ludzkie nie zakłócały im spokoju". Z pewnością wielu ptasiarzy odnajdzie w mizantropii Waltera coś niepokojąco znajomego.

Z pozoru spokojna ptasia pasja zamienia się niekiedy w rywalizację. Ptasiarze i ornitolodzy prowadzą listy osiągnięć: życiowe, roczne, regionalne. Czasem obserwacja przypomina sport, bywa, że lista zaczyna rządzić codziennością obserwatora. Każe stać w zacinającym piaskiem sztormie na wydmie albo zmusza do wchodzenia po pas w lodowate wiosenne bagno. Wieść o rzadkim ptaku, który zjawił się na drugim końcu Polski, może doprowadzić do przerwania rodzinnych wakacji. Na szczęście nie wszyscy ulegają presji, nie wszystkich ekscytuje rywalizacja. Znam amatorów i profesjonalistów, którzy nie widzieli gatunków względnie pospolitych – po prostu zobaczenie ich nie było dla nich ważne czy nie mieściło się w ich naukowych zainteresowaniach.

Regularnie słyszę pytanie o to, kto sprawuje kontrolę nad listami. Nikt, bo wszystko opiera się na zaufaniu. Pytający jest zwykle zdumiony: „Przecież można oszukiwać!". Jasne, tylko po co? Z imponującą listą nie wiąże się żaden wymierny prestiż. Nie ma szans na kontrakty reklamowe – dowcipnie pisze Cashwell. Chodzi raczej o zaspokojenie ambicji niż o chęć zaimponowania komukolwiek. Po co zwodzić samego siebie? Oczywiście zdarzają się konfabulatorzy, których motywacji nie jestem w stanie pojąć. Zresztą nie wszystko można zmyślić – obserwacje ptaków, które zjawiają się w Polsce nieczęsto, podlegają weryfikacji Komisji Faunistycznej Sekcji Ornitologicznej Polskiego Towarzystwa Zoologicznego. W przypadku bardzo rzadkich gatunków wymagana jest dokumentacja fotograficzna lub dźwiękowa. Z małego oszustwa zrobiłoby się wielkie kłamstwo. A taka wpadka kończy się środowiskowym ostracyzmem.

W filmie *Kes* Ken Loach, zaangażowany angielski reżyser, przedstawia portret górniczego miasteczka Barnsley i jego mieszkańców. Większość ról zagrali amatorzy, ich akcent był tak niezrozumiały, że dla amerykańskich widzów dźwięk musiano nagrywać ponownie. Efekt głębokiego realizmu podkreśliły jeszcze zdjęcia w naturalnym świetle. Świat Barnsley jest przez to ponury, ale też historia nie należy do wesołych. Oto Billy Casper, nastoletni outsider dorastający w rozpaczliwej biedzie. Dom rodzinny jest tak mały, że chłopak musi dzielić łóżko ze starszym bratem Judem, który codziennie wstaje o świcie do kopalni. A ta kopalnia to i tak najlepsze, co czeka Billy'ego.

Chłopiec włóczy się po miasteczku bez celu, roznosi gazety, sprawia kłopoty w szkole. Nie wygląda na to, żeby miał być z niego szczególny pożytek. Ale któregoś dnia podczas wędrówki po podmiejskim lesie zauważa polującą pustułkę. Patrzy zafascynowany, jak drobny sokół zawisa w powietrzu, przecina niebo zwinnymi ślizgami i przysiada na szczycie starego kamiennego muru. Billy kradnie z antykwariatu atlas sokolniczy i pewnego ranka wybiera z gniazda podrośnięte pisklę. To samica, chłopiec nadaje jej imię Kes (pustułka to po angielsku *kestrel*). Codziennie zdobywa dla niej mięso i próbuje ją układać, choć twierdzi, że sokoła nie da się wytresować, można najwyżej nauczyć go współpracy. A może to ptak oswaja chłopca?

Billy daje się porwać mirażowi. Chciałby być jak sokół, wolny, swobodny, niezależny, tymczasem państwowe instytucje i surowi nauczyciele już wyznaczyli dla niego miejsce w kopalni. Rozkojarzony wrażliwiec z dołów społecznych nie może liczyć na inny los. Jego ułożona od pisklęcia pustułka też wcale nie jest wolna, nie zna i nie potrzebuje swobody. Wolność dzikich ptaków jest tylko pozorna. Owszem, nie ogranicza ich przestrzeń, ale ich lot musi mieć cel. Kieruje nimi instynkt, a nie zachcianka. Nie porzucą piskląt wiedzione beztroskim impulsem, a ich jesienna i wiosenna migracja nie jest wycieczką, tylko walką o życie. Historie takie jak *Kes* nigdy nie kończą się dobrze, szczególnie gdy mają obudzić w nas złość na niesprawiedliwość świata. Pustułkę zabija prymitywny Jud, by ukarać brata za przywłaszczenie jakiejś drobnej sumy. Śmierć sokoła to koniec złudzeń. Zostaje ta szara, przysypana kopalnianą sadzą rzeczywistość.

Podobieństwo do opowieści o Kes znajduję w filmie *Ptasznik z Alcatraz*, historii opartej zresztą na faktach. Posągowy Burt Lancaster gra tu Roberta Strouda, więźnia z dożywociem, który spędził już czterdzieści trzy lata w izolatce. Ten ewidentny psychopata niespodziewanie mięknie, gdy na spacerniaku znajduje pisklę wróbla zrzucone z drzewa przez wichurę. Od władz zakładu dostaje zgodę na trzymanie w izolatce ptaka i zaczyna troskliwie się nim zajmować. I wówczas w tym przygnębiającym filmie pojawia się wątek humorystyczny. Precedens wywołuje lawinę – w celach morderców, gwałcicieli i innych degeneratów pojawiają się trelujące kanarki. Tylko że zapału starczy więźniom na krótko. Wszystkie ptaki po kolei trafiają do Strouda.

Od Feto Gomeza (Telly Savalas) Stroud dostaje samiczkę kanarka. Postanawia rozmnożyć ptaki w celi. „Nowe życie? W więzieniu?" – dziwi się strażnik. „Myślę, że nie robi im to różnicy. Kanarki i tak żyją za kratkami" – stary recydywista nie ma złudzeń. Tylko uwięziony człowiek tęskni za swobodą. Wypuszczone z klatki kanarki miotają się bezradnie po celi. Nie wiedzą, czym jest wolność. *Ptasznik z Alcatraz* to film o sukcesie resocjalizacji i bezwzględności systemu. Stroud, mimo że skończył zaledwie trzy klasy, czyta podręczniki akademickie i prace naukowe. Wymyśla lekarstwa na popularne choroby ptaków hodowlanych. Wyniki jego badań ukazują się w fachowych pismach, a uniwersytety proponują mu stypendia. Ale więzienia nie opuści nigdy. Chyba już lepiej być kanarkiem i nie znać smaku wolności.

Podobnie jak w przypadku birdwatchera, nasz język jest bezradny wobec słowa *twitcher* – dla niego również nie pojawił się żaden sensowny polski ekwiwalent. Mówimy i piszemy „tłiczowanie", a myślimy o szczególnym rodzaju ptasiarstwa, które polega głównie na uganianiu się za rzadkimi gatunkami. Oto źródłosłów: po angielsku *twitch* oznacza nerwowe drgania, skurcze mięśni, tiki. *Twitcher* to po prostu nerwus. Tłiczer potrafi przejechać setki kilometrów, by zobaczyć (potocznie – „zaliczyć") niewidziany dotąd gatunek ptaka. Miejsce podają inni obserwatorzy, więc w tym sensie tłiczowanie to rodzaj pasożytnictwa. Ale trzeba się śpieszyć – ptak może przecież w każdej chwili odlecieć albo spłoszą go obserwatorzy, którzy dojadą do celu wcześniej.

Stereotypowy tłiczer rzuca tylko okiem na ptaka, odhacza gatunek na liście i zastyga w oczekiwaniu na kolejne sensacje. Sprawdza fora, strony udostępniające informacje o rzadkościach, zamawia SMS-owe powiadomienia o najciekawszych obserwacjach. Tłiczowanie w środowisku ptasiarzy nie cieszy się uznaniem, bo nie niesie ze sobą szczególnego pożytku. Za to czasami przynosi szkody, kiedy niepokojone ptaki muszą się przenosić w inne miejsce. Z dumą można mówić o ptaku, którego się samemu wykryło. A nazwać kogoś tłiczerem to właściwie rodzaj obelgi, taka inwektywa pojawia się zresztą niekiedy w internetowych pyskówkach.

Ta nieco zdegenerowana forma ornitologicznej pasji narodziła się oczywiście w zwariowanej na punkcie ptaków Anglii. Kiedy w czyimś ogródku pojawia się rzadkość, ludzi ogarnia szaleństwo, okolicę najeżdżają tysiące tłiczerów, a policja musi zamykać pobliskie ulice. Na Wyspach Brytyjskich ptaki obserwuje sześć milionów ludzi – ta sieć ma bardzo małe oczka, dlatego ciekawe gatunki udaje się tu zobaczyć stosunkowo często. Poza tym na Wyspy regularnie zwiewa ptaki z Ameryki Północnej, często trafiają się też „raryty" (ang. *rarities*) z Syberii. Bywa, że wśród ptasiarzy owładniętych szałem wybuchają bójki, dochodzi do zasłabnięć, a nawet ataków serca. Co roku pasjonaci wydają dziesiątki tysięcy funtów na podróże po kraju.

Ja też nie jestem bez winy, tłiczowałem to i owo, ale staram się nadać temu szaleństwu racjonalne ramy. Nie tłiczuję na przykład gatunków, które nieszczególnie mnie interesują, ani takich, dla których trzeba by jechać przez pół kraju. Nie byłem gotów pędzić dla amerykańskiego brodźca żółtonogiego pod Racibórz. Ptak wygląda trochę jak nasz kwokacz, jakoś nie dość egzotycznie, żeby aż tak się ekscytować. Ale gdyby wylądował nad Zalewem Zegrzyńskim, godzinę od domu, to byłaby zupełnie inna sprawa. Przybyszy z dalekiej Północy, krzyżodzioby modrzewiowe, tłiczowałem tydzień po tygodniu. Drugi wyjazd w okolice Mławy zakończył się sukcesem. Piękne karminowe ptaki wyłuskiwały nasiona z modrzewiowych szyszek. Ich koślawe, dziwaczne dzioby są do tego doskonale przystosowane. Górna i dolna szczęka krzyżują się na końcu, tworząc rodzaj obcęgów. Kiedyś wierzono, że krzyżodziób próbował wyciągnąć gwoździe z ciała Chrystusa i tak wykrzywił sobie dziób.

Było wczesne popołudnie i wściekłe, bo odbite od śniegu, słońce, a my mijaliśmy się na biebrzańskiej Długiej Luce. Zwykle manewr nie sprawia kłopotów, kładka jest dość szeroka, wtedy jednak wszystko było zasypane. Jeden nieostrożny krok poza wąską, wydeptaną ścieżkę i można było wpakować się w bagno. Janusz Palikot szedł z naprzeciwka, na szyi miał dobrą lornetkę. Nie przyjrzałem się – Leiki albo Swarovskiego. Odpowiedział na „dzień dobry" i podniósł lornetkę do oczu. Nad nami przeleciało stado gęsi białoczelnych. Spojrzałem na niego łaskawszym okiem.

Baron Czarzasty powiedział kiedyś, że ornitologicznej pasji poświęca „przynajmniej miesiąc w roku". Pochwalił się nawet: „Właśnie wróciłem znad Narwi i Biebrzy, gdzie podglądałem bataliony". Jak zwykle złotousty i błyskotliwy, porównał Donalda Tuska do harpii i wyjaśnił, że to „podobnie jak orzeł i orlik ptasi drapieżnik, tyle że bardziej mściwy, polujący wieczorami w lasach". Wizja ówczesnego premiera uganiającego się w koronach drzew za małpami i miażdżącego im czaszki potężnymi szponami zapadła mi w pamięć. Harpia nie jest jednak mściwa, podobnie jak gawron nie jest zgorzkniały. Czego się jednak nie robi dla efektownej metafory.

Mam gdzieś na dysku takie zdjęcie: Jarosław Kaczyński siedzi w poselskiej ławie i studiuje książkę. To chyba nie jest ważne głosowanie, bo obok Mariusz Błaszczak gada przez komórkę. Może przerwa w obradach? Mniejsza z tym. Ważne, że Kaczyński czyta o jednym z najrzadszych polskich drapieżników, orliku grubodziobym. Przygląda się ciemnej sylwetce dorosłego ptaka i jasno nakrapianemu młodzikowi. Patrząc na to zdjęcie, myślę sobie: „To chyba nie może być zły człowiek". Czy ukradkiem spotykają się z Czarzastym i Palikotem, by oddawać się wspólnej pasji?

Ornitolodzy w filmach to rzadko silni, zdecydowani mężczyźni z inicjatywą, ale zdarzają się wyjątki. Na przykład Raymond Tusk z pierwszego sezonu *House of Cards*, biznesmen i magnat energetyczny. Główny bohater serialu, bezwzględny, cyniczny polityk Frank Underwood, ma go odwiedzić w jego posiadłości i zaproponować mu stanowisko wiceprezydenta. Franka dosłownie skręca z zazdrości, bo uważa, że urząd należy się jemu, i nie wie, że to tylko sprawdzian. W rzeczywistości to on jest szykowany na wiceprezydencki fotel, a Raymond ma ocenić, czy Underwood się nadaje.

Frank dusi się więc z oburzenia, a Tusk świetnie się bawi. Zabiera go do swojego ogrodu i tam pokazuje jakiegoś dzięcioła. Jest ornitologiem amatorem, czyli klasycznym dziwakiem. Frank patrzy wprost na nas, widzów (to jeden z najbardziej charakterystycznych chwytów serialu), z szyderstwem i kpiną. „Co za nudziarz", mówi jego spojrzenie. To przecież niepoważne przyglądać się ptakom, kiedy powinno się rozmawiać o jedynej rzeczy, która interesuje Underwooda – władzy. My się z nim oczywiście zgadzamy, od początku jesteśmy zakładnikami i niemymi wspólnikami jego bezeceństw. A jednak Tusk zagra mu na nosie i pomiesza szyki. Frank zaś najpierw go zlekceważy, później doceni, a na końcu zniszczy. Podobnie jak wszystkie przeszkody na swojej drodze.

Tematowi ptasiej kompulsji poświęcona jest amerykańska komedia *Wielki rok* w reżyserii Davida Frankela. Mimo gwiazdorskiej obsady film zrobił gigantyczną klapę. Recenzje też nie były przesadnie pochlebne, zresztą nic dziwnego – komedia wywołuje najwyżej słaby uśmiech. Czym jest tytułowy *Wielki rok*? To nieprzerwane dwunastomiesięczne tłiczowanie kolejnych gatunków ptaków na terenie Stanów Zjednoczonych. Od wyspy Attu na Alasce przez pustynie Newady po namorzynowe lasy Florydy. Wielu ptasiarzy bierze z tej okazji roczny urlop. Rekordzista cieszy się w środowisku sławą olimpijskiego medalisty.

Trójka bohaterów zmaga się nie tylko z konkurencją, ale i z własnymi problemami. Stu Preissler (Steve Martin) to odchodzący na emeryturę prezes wielkiej firmy, który boi się bezczynności i walczy z pokusą powrotu do pracy. Brad Harris (Jack Black) to klasyczny *loser*. Zgnębiony kryzysem wieku średniego rozwodnik, który mieszka z rodzicami i musi prosić o wsparcie krytycznie nastawionego do ptasiarskiej pasji ojca. Aktualnego rekordzistę Kenny'ego Bosticka (Owen Wilson) ptasia obsesja doprowadziła do rozwodu. Na naszych oczach za cenę zwycięstwa niszczy kolejne małżeństwo.

Film nie próbuje wytłumaczyć, dlaczego ludzie są gotowi brać udział w tym wyczerpującym konkursie bez nagród. To letnie kino familijne. Wyścig i jego niepisany regulamin wydają się nonsensem dla osób, które ledwie zauważają istnienie ptaków. *Wielki rok* ma, jak się wydaje, przekonać, że ornitologia nie jest nudna, a ptasiarze nie są szaleni, ale jedynie utwierdza w stereotypach. Trafnie podsumował sprawę recenzent „Daily Telegraph": filmy o ekscentrykach wymagają ekscentrycznego podejścia. Może gdyby to zrobił Wes Anderson?

W naszym kraju widziano (włącznie z obserwacjami z lat 1801–1950) przeszło czterysta pięćdziesiąt gatunków ptaków. Niektóre z nich zaledwie raz. Ptasiarz zwykle zaczyna od listy życiowej. W którymś momencie zabawa robi się trochę frustrująca, bo nowych gatunków w spisie przybywa coraz mniej. Chyba że zwiększy się obroty i goni za każdą rzadkością. Po trzystu gatunkach emocje zaczynają przygasać. Co robić, żeby dostarczyć sobie emocji? Rozpocząć listę roczną. Albo coraz bardziej popularną listę Palearktyki Zachodniej. To część naszej krainy zoograficznej (Palearktyki), która rozciąga się od Uralu i Kaukazu po Azory oraz od Spitsbergenu do północnej Afryki (wraz z częścią Półwyspu Arabskiego). Widocznie stać nas już na dalekie podróże.

Żeby uzbierać przyzwoitą listę roczną, ptasiarz z Mazowsza zaczyna rok od przeglądania podwarszawskich pól. Czasem plączą się tu stadka tundrowych wróblaków, dyżuruje północny drapieżnik – myszołów włochaty. Jak dobrze przymrozi, warto wyskoczyć nad Bałtyk – morskie ptaki zbliżają się wtedy do brzegu. Przedwiośnie to pora sowich i dzięciolich zalotów. Za chwilę ruszą też gęsi. Wielkie klucze i wielotysięczne stada upodobały sobie pola w województwie łódzkim. Od kwietnia do maja można jeździć nad Biebrzę. Toki batalionów, bekasów i łosie refleksyjnie przeżuwające młode pędy – to wszystko zaczyna się już niecałe dwieście kilometrów od stolicy. Na przełomie maja i czerwca koniecznie Tatry.

Potem nadchodzi najbardziej przygnębiająca dla ptasiarza pora roku – lato. W lesie zapada cisza, na niebie popisuje się tylko niestrudzony skowronek, w upale cyka trznadel. Ptaki chowają się z potomstwem w gęstwinie liści. Ale już z początkiem sierpnia rusza jesienna wędrówka. Pierwsze ewakuują się ptaki ciepłolubne, warto więc skoczyć na dzikie pola Lubelszczyzny. Tam kołują dostojne gadożery, a nad rozgrzaną ziemią za owadami uganiają się zwinne kobczyki. Suną też nad Polską stada siewek, które opuszczają lęgowiska na Północy. Jesień to jedna wielka, rozciągnięta w czasie migracja. Dobrze ją obserwować nad morzem – wędrujące ptaki trzymają się linii wybrzeża. Październik czy nawet listopad to pora na gęsi i żurawie. Największe zlotowiska można podziwiać w ujściu Warty i w dolinie Baryczy. A potem znów cisza. Domyka się ptasi rok.

Harbotka

Stary dom z Kurpiów, z resztkami niebieskiej farby nad obwisłą okiennicą. Zjedzony na wylot przez korniki, tak że co roku wiosną dziwię się, że wciąż jeszcze stoi. Są i dawni znajomi. Dzięcioł, który nieraz budził mnie łomotem w obluzowaną okiennicę, od wielu lat korzysta z tej zmurszałej spiżarni. Często odwiedza też brzozowy zagajnik, który szumi ogłuszająco w niespokojne dni, a giętkie pnie kołyszą się na wietrze. Wieszam tam hamak, a ptaki szybko przywykają do jego czerwonego koloru. Przecież raz niemal wpadł do niego drozd śpiewak w szalonej pogoni za motylem. Tuż obok brzóz szeleszczą tchórzliwie osiki. Trzęsą się, nawet kiedy nie ma wiatru. Tylko stare dęby milczą, bo nie poddają się byle podmuchowi.

Mysz w zaroślach koło drzwi ciągnie za sobą wstążkę makaronu. Za dnia ma spokój, lisy zniknęły z Harbotki kilkanaście lat temu. Liście przysypały dziesiątki wejść do starych nor, a nieużywane korytarze zapadły się na głucho. Ale o zmierzchu mysz nie może czuć się bezpieczna, bo władzę nad okolicą przejmują czarnookie puszczyki. Rudy i szary. Żyć bez siebie nie mogą. Jeśli nie polują razem, to nawołują i czekają na odpowiedź. Pewnie mieszkają w starej dziupli po dzięciole czarnym. Wczoraj znowu, po wielu latach przerwy, słyszałem tu jego przeciągły zew.

Kapturka koło zbutwiałej sławojki jakby nie mogła się przyzwyczaić, że musi dzielić ten teren z człowiekiem. „Cet, cet, cet", stroszy czarne pióra na głowie i patrzy na mnie z pretensją. Tak samo kos – ucieka z krzykiem, ilekroć wejdę między tarniny. Panikarz, ale mam dla niego szacunek – widziałem, jak zasuwał, żeby wykarmić młode. Praca bez przerwy, ledwo przyleciał z gąsienicą w dziobie, już pędził po następną. I to nie na pół gwizdka, z ociąganiem, ale w pełnym biegu, jakby go coś goniło. Śpieszył się, w końcu to już drugi, późny lęg. Do chłodnych wieczorów zostało niewiele czasu.

Czasem zajrzy tu też mały demon śmierci, krogulec. Szczególnie lubi tę suchą gałąź nad dachem. Przysiada i rozgląda się przez chwilę żywym, bystrym okiem. Decyzje podejmuje błyskawicznie, widać jego świat działa na szybszych obrotach niż nasz. Niespodziewanym ślizgiem spada do sadu. Zabójczo prędki i zwrotny lawiruje między gałęziami. Widzę, jak wyciąga zachłannie długie szpony, próbując pochwycić rozlatujące się kulczyki i szczygły. Tym razem przestrzelił i jak gdyby nigdy nic leci nad rzekę, może tam dopadnie w gąszczu jakiegoś nieuważnego ptaszka?

Dlaczego „Harbotka"? Podobno dziedzic lubił tu przy herbacie zachwycać się panoramą rzecznej doliny. Może pamiętają go te stare dęby za domem, na które wdrapywałem się setki razy i które każdej jesieni bombardują omszały dach żołędziami? A może ten sosnowy krzyż po nieznanym żołnierzu z pierwszej wojny? Miejscowi mówią, że Harbotka jest nawiedzona. Przychodzą tu zbierać grzyby, ale za żadne skarby nie zajrzeliby nocą.

Rozumiem dziedzica. Ze szczytu skarpy rozciąga się po horyzont mozaika łąk i lasów, resztek starej puszczy.

Na południu górująca nad drzewami wieża kościoła w Stromcu, na zachodzie kominy elektrowni w Kozienicach (te się jeszcze dziedzicowi nie śniły). Gdzieś z nadrzecznych olsów wołają w wieczornej ciszy żurawie. Mieszkają pewnie na drugim brzegu, za miejscem, gdzie kiedyś stał prom i chatka promowego: oparta o ścianę emzetka, pokój jak z obrazu van Gogha – krzesło i stół.

Nad rzekę schodzi się sadem, u podnóża skarpy zaczynają się łąki, na których zbieraliśmy kwiaty na Matki Boskiej Zielnej. Droga dla ciągników utwardzona eternitowym dachem – wiadomo, że truje, ale tu, dwieście metrów od domów, truje nie tego, kto go wyrzucił (a poza tym szkoda, żeby się zmarnował). Kępy olch. Z prawej strony przez kilka lat była sezonowa moda – plantacja aronii.

Rozwidlenie. Na lewo do mostu, wzdłuż niemal niewidocznej za wierzbowym murem rzeki. Zaraz obok jest jej najdzikszy kawałek. Przy brzegu ciągnie się rozległa płycizna. Kiedyś z Ojcem przeszliśmy w górę nurtu kilkaset metrów. W mojej pamięci to były dorzecza Amazonki. Plątaniny chmielowych lian, nieprzebyte chaszcze, zarośnięte wysepki nietknięte ludzką stopą. Emocjonowałem się pięknymi czarnogłowymi potrzosami, nazywanymi dawniej wróblami trzcinnymi. Paplałem o potrzosie, a wieczorem dostałem gorączki i rozchorowałem się na tydzień. „Klątwa potrzosa", powiedział Ojciec bez cienia wątpliwości.

Zwykle jednak idziemy w prawo – brzegiem zarośniętego starorzecza, obok łąki, którą po wyjeździe na Węgry zaczęliśmy nazywać, trochę na wyrost, pusztą. Gdy byłem dzieckiem, wydawała mi się bezkresna, szczególnie w spłowiałych kolorach późnego lata. Ktoś postawił tu bramki, ale nigdy nie widziałem grających. Dawniej puszta była pastwiskiem. Teraz we wsi nie ma już ani jednej krowy.

Puszta się zmieniła, kilkanaście lat temu każdej wiosny aż do czerwca stało tu jezioro. Pamiętam setki ptaków, srebrzyste skrzydła rybitw połyskujące nad rozlewiskiem. Kiedy woda opadała, a rzeka z ociąganiem wracała do swojego koryta, zadowolona ze swej corocznej demonstracji siły, na łące zostawały rdzawe, długodziobe rycyki i nerwowe czajki. Z byle powodu zrywały się do chwiejnego lotu na szerokich, zaokrąglonych skrzydłach. Najbardziej lubiłem ich głos – płaczliwy, zawodzący, przypominający strojenie radia Śnieżka.

Woda zostawała tylko w pokrytym rzęsą mulistym starorzeczu. Niosąc nad głową ubranie, przeprawiałem się przez bajoro w pogoni za czujnymi i nieuchwytnymi łęczakami, które lubiły latem brodzić w lepkim nadbrzeżnym błocie. Była jeszcze kolonia rybitw czarnych, zawziętych i nieustraszonych, kiedy do gniazd zbliżał się intruz. Zgrzytliwie nawołując, pikowały tuż nad głowami przechodzących ludzi i zwierząt. Spokojem emanował za to uważny błotniak, patrolujący w powolnym locie trawy w poszukiwaniu myszy i ptasich gniazd.

Gdy woda sięgała wysoko, rzeczna toń zdawała się ciemna i złowroga. Na zakrętach w zaśmieconych zatoczkach można było znaleźć przywleczone przez nurt stare lodówki, deski klozetowe i wiszące na niskich gałęziach gacie. Ubrania z czasem szarzały, blakły i z oddali zdarzało się je pomylić z zaczajoną na drobne rybki czaplą.

Latem nurt był najczęściej spokojny, leniwy i żółtawy od piachu na rzecznym dnie. Z biegiem lat powiększała się plaża, po której jak nakręcone zabawki dreptały sieweczki. Sokołowski pisał, że każda „w sekundzie wykonuje dziewięć kroków". Tuż nad wodą przemykał szmaragdową strzałą zimorodek, który wcale nie urodził się w zimie, tylko w ziemi.

Dokładnie – w piaszczystej skarpie na przeciwnym brzegu. Ze wsi przyjeżdżały ciągniki z przyczepami i zabierały sobie po kawałku plaży. O rzeczny piasek nie upominał się żaden właściciel. I tak plaża w końcu zniknęła.

Starorzecze zakryły rośliny wodne, a na brzegach próżno dziś szukać czajek. Łąkę strzygą już nie łagodne krowy, tylko nieczułe kosiarki. Pod ich ostrzami i w zębach szczepionych przeciw wściekliźnie lisów setkami ginie co roku ptasi drobiazg. Wieczorami, gdy wśród wysokich tataraków wielkookie sarny moszczą sobie legowiska, słychać jakby kwik świni, może najdziwniejszy głos polskiej natury – niewielki wodnik, skryty mieszkaniec mokradeł, obwieszcza przed nocą swoją obecność.

O zmierzchu niebo się przeciera, odcienie znikają, kolory szarzeją. Z wolna gaśnie różowa zorza, w ciemności świecą jeszcze żółte lampki kosaćców. Tuż nad ziemią pełznie lepka mgła. W świetle flesza widać strukturę tego welonu z wirujących atomów wodnego pyłu. Pod lasem słychać pośpieszny łoskot, trzask łamanych gałęzi, a potem szczekanie koziołka. To dziwne, jak bardzo przypomina odgłosy wydawane przez pijanych kibiców.

Kakofonia ptasich głosów cichnie, dogasa skrzeczenie trzciniaka. Na stanowisku pozostaje niestrudzony słowik, „drap-drap-drap" – dołącza derkacz. Gdzieś z turzyc słychać metaliczny werbelek strumieniówki przypominający bardziej odgłos wydawany przez owada niż ptaka. I tak będzie do rana: słowik, derkacz, strumieniówka, tylko raz anemicznie zaśmieje się zielonka.

Przed czwartą jest już jasno, ale mleczny opar zamyka horyzont na trzydziestu metrach. Budzi się powtarzaną piosenką drozd śpiewak, urywaną zwrotką rozćwicza przed całodziennym śpiewaniem trznadel. Strumieniówka przerywa swoje jednostajne werblowanie, tylko żeby zmienić pozycję na gałęzi. Derkacz podchodzi gdzieś całkiem blisko i oprócz drapania słychać dziwny pogłos, szum, jakby jego głos był puszczony z taśmy. Widzę nie ptaka, ale jego błyskawiczny ruch zaznaczony tylko poruszeniem zgarbionych pod ciężarem rosy traw. Słyszę plaśnięcia długopalczastych łap na podmokłej łące.

Zaniepokojony derkacz chętniej wybierze ucieczkę na piechotę, niż zerwie się do lotu. Trzymałem kiedyś w ręce wodnika, jego bliskiego kuzyna, i uderzyło mnie, jak nieproporcjonalnie silne i umięśnione ma nogi. Ptak, któremu zwrócono wolność, przebiegł w sprinterskim tempie kilkadziesiąt metrów, zanim oderwał się od ziemi. A w biegu wyglądał zupełnie jak kura (swoją drogą ona też ma bardzo silne nogi).

Tymczasem niewidoczny derkacz krąży wokół mnie i z pewnością przygląda mi się ukryty w trawach. Siła jego głosu może dochodzić do przeszło stu decybeli i czuję, że bębenki w uszach napinają się z wysiłkiem. Wreszcie kilka kroków przed sobą na ułamek sekundy widzę szarawą głowę z niewielkim dziobem, która wychyla się z zarośli i zaraz znika. Po chwili „drap-drap" odzywa się już pięćdziesiąt metrów dalej. Wiem, że na więcej nie mogę liczyć. Cofam się i stojąc pod lasem, patrzę, jak niezagrożony już ptak przelatuje nisko nad łąką, dyndając bezwładnie wielkimi nogami. Krótki ogon uniemożliwia mu normalne wyhamowanie, dlatego zwalnia jak narciarz, skręcając prostopadle do toru lotu, i zapada się niezgrabnie w trawę.

Dochodzi piąta i strumieniówka powoli niknie w rejwachu setek ptasich głosów. Brnę przez mokre jak psia sierść trawy i po chwili spodnie przyklejają mi się szczelnie do nóg. We mgle trudno ocenić odległość, dźwięk jakoś inaczej ślizga się po łące. Przystaję co kilkanaście metrów, strumieniówka wydaje się tuż-tuż. Ale nic z tego, ptak siedzi na uschłym drzewie kilkadziesiąt metrów dalej, niż sądziłem. Śpiewa zapamiętale, jakby cały świat dookoła nie istniał – głowa odchylona, szeroko otwarte gardziołko drży, rezonuje monotonną, metaliczną piosenką.

Lipcowy wieczór, a ja nie idę na południe, ku rzece, tylko na północ, w ciągnące się aż do Grójca przysadziste szeregi powykręcanych jabłoni. Za miesiąc ich gałęzie będą się łamać pod ciężarem dojrzałych owoców. Czereśnie się skończyły, wiśnie ciemnieją w słońcu. Od miesiąca w sadach rozlega się kanonada z gazowych armatek – odwieczna wojna domowa między ludźmi a nieskończonymi zastępami szpaków. Ptaki niewiele sobie z tego robią. Strzałów boi się tylko mój pies. Po pięciolinii kabli skaczą kulczyki i szczygły.

Nisko, tuż nad drzewami przelatuje samica błotniaka stawowego. Ptasi drobiazg rozlatuje się z krzykiem. Jasne pióra na głowie kontrastują z ciemnymi skrzydłami. „Blondyna" – nazywają ją niektórzy. Jej wzrok na moment krzyżuje się z moim i widzę te żółte, bezlitosne, hipnotyzujące oczy drapieżnika. Rodzina błotniaków nie jest ani najszybsza, ani najbardziej zabójcza, ale dla mnie najpiękniejsza. A najwspanialszy jest błotniak łąkowy, niestety kolejna ofiara mechanizacji rolnictwa. Gniazda i pisklęta są koszone wraz z łanami zboża.

Błotniak łąkowy to doskonała elegancja. Długie, wąskie skrzydła i zgrabne, niezbyt muskularne ciało zakończone szeroką, jakby sowią głową. To nie jest najlepsza budowa do unoszenia się w rozgrzanym powietrzu – mała powierzchnia skrzydeł uniemożliwia mu bujanie w obłokach, a silny wiatr rzuca nim na wszystkie strony. Wąskie skrzydła nie wyglądają też jak sokole sierpy, które nadają ciału doskonałą aerodynamikę podczas ataku. Skrzydła błotniaka łąkowego służą do dostojnego, patrolowego lotu nisko nad łąkami. Widziałem kiedyś przepięknego popielatego samca, leciał bardzo wolno jakiś metr nad czubkami traw. Z oddali wydawało się, że niemal stoi w miejscu, ale gdy nadarzyła się okazja, błyskawicznie złożył skrzydła, zanurkował i przygwoździł ofiarę.

Błotniak stawowy poluje podobnie, ale naturalną scenografią jego łowów są trzcinowiska. „Blondyna" nie jest wybredna, nie gardzi myszami ani podlotami kwiczołów z sadu. Ciemny ptak zbacza z kursu, moja obecność nie gwarantuje spokojnych łowów. Sad kończy się ścianą sosen i gdzieś za drzewami słyszę opadający trel skowronka borowego. Nie ma wśród polskich ptaków smutniejszego śpiewaka niż on. Melancholijnemu głosowi zawdzięcza nawet swoją łacińską nazwę *Lullula*. Przedziwny kontrast z pełną życia, euforyczną piosenką bliskiego krewniaka, skowronka polnego.

Mijam drzewa i niespodziewanie jego głos rozlega się dokładnie nade mną. Skowronek uderza skrzydłami płytko, praktycznie stoi w powietrzu i wyśpiewuje w wieczornej ciszy swoją przyśpieszającą melodię. Kładę się na skoszonej nisko, śmierdzącej chemikaliami trawie. Teraz drzewka pryska się właściwie codziennie, patronem sadowników jest Mendelejew. A jednak nie całe życie udaje się wytruć. Patrzę na skowronka przez kilka minut, aż w końcu niespodziewanym ślizgiem znika mi z oczu.

Jest już ciemno, kiedy wracam do domu. I czuję, że nie mam w kieszeni telefonu. Może zostawiłem go na stole, łudzę się. W głębi duszy wiem jednak, że leży tam, w sadzie, pod wiszącym nade mną skowronkiem. I taki jest niezamierzony epilog tego wieczoru: znowu jadę między rzędy drzewek.

Na polnej drodze uprzejmie ustępuje mi wielki traktor. Ledwo dostrzegam jego małoletniego kierowcę z miną czterdziestoletniego wyjadacza. Straszę reflektorem uciekającego zajączka, jego oko świeci w ciemności złotą tarczką. Uchylam okno, ale nie słyszę już zawodzenia lerki, tylko warkot traktora i wycie dyszy z opryskami. Mechaniczny potwór sunie po sadzie, świecąc trzema ślepiami. Zatrzymuję się, robię trzy kroki w lewo i zdumiony swoją nieomylnością podnoszę z ziemi srebrny kształt. 21:47 – pokazuje mokry wyświetlacz.

Bazyliszek na patelni

3.01

Okazuje się, że wystarczy kępa krzaków, by przywabić ciekawe ptaki. W chaszczach nad tak zwaną patelnią (plac przed stacją metra Centrum) co roku wiosną słychać trelowanie słowika. To miejsce służy zasadniczo za śmietnik dla obnośnych sprzedawców i ubikację dla bezdomnych, ale niezrażony śpiewak wraca i nocami skarży się warszawiakom. Gąszcz przyciąga także inne, zupełnie niespodziewane ptaki. Wiosną słyszano tu śpiew ortolana, improwizacje łozówki i wrzaski trzciniaka. Od miesiąca siedzi w krzaku pokrzewka jarzębata. To pierwsza próba zimowania tego gatunku w Polsce. Jarzębatka upodobała sobie szczególnie berberys przy słupie kilometrowym i świeci z krzaków bazyliszkowym spojrzeniem żółtych oczu. Ptak jest mało płochliwy, pozwala się fotografować z kilku metrów.

5.01

Nad parkiem Skaryszewskim, jednym z najstarszych parków Warszawy, od dłuższego czasu krąży widmo „rewitalizacji". To modne w biurokratycznym żargonie słowo mrozi krew w żyłach miłośnikom miejskiej zieleni. Rewitalizacja, która zgodnie ze swoim źródłosłowem powinna być przywracaniem do życia, oznacza zwykle wycinkę krzewów i drzew. Ideałem dla urzędników są aseptyczne trawniki, przystrzyżone do samej ziemi jak pole golfowe, i niekłopotliwe, bo pozbawione liści iglaki. Takie jak na komputerowych wizualizacjach nowych osiedli. Ciekawym przykładem wandalizmu sankcjonowanego przez władze była rewitalizacja Ogrodu Krasińskich. Przywrócono „dawną oś widokową". Wycięto krzaki i kilkaset drzew, w tym nawet takie, które przetrwały zagładę miasta w powstaniu. Otworzył się widok na skwer Więźniów Politycznych Stalinizmu i wysoki mur chińskiej ambasady. Liczba gatunków ptaków zmniejszyła się o połowę.

W Skaryszaku też straszą odtwarzaniem osi sprzed stu lat. Zagrożone są aleje starych lip i jesionów. Powraca pytanie, czy miejska zieleń ma być wyłącznie estetyczną atrapą, która pięknie wygląda na planach? Profesor Maciej Luniak słusznie zwraca uwagę, że funkcja miejskich parków zmieniła się od czasu, kiedy ekscytowano się osiami widokowymi. W XIX wieku mieszkaniec Warszawy nie szukał w Łazienkach wytchnienia od zgiełku miasta. Po parkach przechadzano się, by podkreślić status społeczny, wymienić uprzejme ukłony, ewentualnie kulturalnie pokonwersować. Nie wpuszczano ludzi niestosownie ubranych ani biedaków, słowem tych, którzy mogliby zburzyć elitarną sielankę. Ale zwyczaje w XXI wieku są nieco bardziej demokratyczne, a ludzie szukają wśród miejskiej zieleni przede wszystkim spokoju. Podobno współczesny człowiek pragnie kontaktu z przyrodą. Dlaczego nie dostrzega jej i nie walczy o nią w mieście?

Dlaczego architekturą zieleni miejskiej rządzi „ładnie" w najbardziej prymitywnym rozumieniu? Typową w naszym klimacie piętrową strukturę roślinności ogranicza się do piętra najwyższego i najniższego. Krzewy wycina się bez litości, bo wymagają uciążliwej pielęgnacji i kojarzą się z zaniedbaniem. „Chaszcze", mówią z obrzydzeniem zwolennicy „ładnie". Ale natura walczy i co roku wiosną między nierówno ułożoną kostkę bauma wciskają się wątłe źdźbła. Przy studzienkach zieleni się mech, a na poboczu ścieżek rowerowych rozkwita latem błękitna cykoria. Przegapiona przez kosiarki malutka osika migoce w słońcu.

5.02

Miejskie ptaki są o wiele mniej płochliwe niż ich dzicy kuzyni. Gatunki żyjące w parkach mają tak zwany mniejszy dystans ucieczki. Leśny kos, kiedy tylko zauważy człowieka, zrywa się z krzykiem do ucieczki. Podobnie znana z parkowego żebractwa kaczka krzyżówka. Każdy ptasiarz mi świadkiem, że w dziczy widzimy ją najczęściej, jak odlatuje wystraszona ludzką obecnością. Większy luz miejskich ptaków pozwala nam obserwować ich niezwykłe zachowania. Najwięcej frajdy sprawiają chyba ptaki krukowate, to ich cwaniackie łypanie i wykalkulowana bezczelność. I to, jak zręcznie patroszą plastikowe worki na śmieci. Widziałem dziś na Polu Mokotowskim wronę, która trzymała w dziobie jakiś biały przedmiot. Myślałem, że to jajo gołębia, ale wrona wylądowała na asfalcie i wypuściła swój skarb z dzioba. Biały przedmiot okazał się piłeczką golfową. Ptaszysko obserwowało z uwagą, jak dziwne jajo toczy się powoli. Ewidentnie zaciekawił wronę ten dziwaczny ruch. Piłka raz przyśpieszała, raz zwalniała na niewidzialnych spadkach i wzniesieniach, wpadała w płytkie koleiny asfaltowych bruzd. W końcu stanęła. Ptak poczekał chwilę i zaczął zabawę od początku.

23.03
Słynna bielańska para sokołów wędrownych Franek i Leśna doczekała się pierwszego jaja. Ich gniazdo jest niezwykłe – mieści się na balkonie na trzynastym piętrze bloku. Lubię bielańskie sokoły, bo nie patrzą na ludzkie mrówki ze stu dwudziestu metrów, jak zarozumiała para z Pałacu Kultury. Wiodą życie zwykłych warszawiaków – mieszkają w bloku. Przy ich gnieździe zamontowana jest kamera internetowa, transmisję można oglądać na okrągło. Obserwacja przed komputerem to doskonałe ćwiczenie relaksacyjne: sokół jest albo go nie ma. Siedzi albo czymś się zajmuje. Czasem jest mgła i nic nie widać. Para ptaków jest ciekawa. Samiec nosi obrączkę, co świadczy o tym, że pochodzi z programu reintrodukcji, samica ma gołe nogi, to znaczy – jest dzika. Widać miłość, również u sokołów, nie wybiera. Parę śledzi codziennie sporo ludzi, wysyłają sobie screenshoty różnych sytuacji: Leśna z upolowanym nietoperzem. Franek drapie się za uchem. Franek po deszczu (wygląda jak zmokła kura). Ale nieruchoma kamera nie pokaże nam tego, za co najbardziej je podziwiamy. Polowania.

Właśnie pod bielańskim blokiem oglądałem swoje jedyne sokole polowanie w Warszawie. Ptak wzbił się, wpatrzony w jakiś niewidoczny dla mnie punkt, kilkoma mocnymi uderzeniami skrzydeł wzniósł się na odpowiednią wysokość i spadł jak kamień z ogromną prędkością gdzieś za horyzont drzew. Momentu, w którym uderzył szponami w ofiarę, a potem pochwycił ją, gdy opadała na ziemię, nie widziałem. Obserwowałem zawiązanie akcji i jej wielki finał. Po kilku minutach sokół przyleciał, trzymając w łapach kosa. Usiadł na krawędzi dachu swojego bloku i w promieniach zachodzącego słońca zaczął wyskubywać pióra z martwego ptaka. Wyglądało to tak, jakby na zakończenie widowiska obsypywał nas konfetti.

Ojciec polskiej ornitologii Władysław Taczanowski w połowie XIX wieku też przyglądał się sokołom w Warszawie. Pisał na przykład o samicy, „która w jesieni regularnie przybywa do miasta i przesiaduje po całych dniach na gzymsach kościołów: Świętokrzyskiego i Karmelitów na Krakowskiem Przedmieściu; nie zważając wcale na wrzawę i hałas miejski i nieustanne sąsiedztwo z przechodzącemi ludźmi, w tym najwięcej ruchliwym punkcie miasta, siedzi ona najspokojniej, drzymie, to znowu iska się, muska pióra i używa wszelkiej swobody w tem dla siebie bezpiecznem miejscu. Około godziny dziesiątej przed południem zwykle przynosi sobie gołębia, którego najspokojniej oskubuje i rozdziera wobec gromadzącego się pospólstwa miejskiego, tak chciwego wszelkiego rodzaju widowiska; chłopaki nieraz rzucają na niego kamykami, krzyczą, klaszczą i rozmaitemi sposobami chcą odstraszyć; na co ptak wcale nie zważa i dalej swoję robotę prowadzi".

30.03
U Franka i Leśnej już cztery jajka.

21.04
Bezczelne wiewiórki wspinają się turystom po nogawkach. Przyzwyczajona do ludzi sarna Tosia. Pawie, których wrzaski niosą się po całym parku i które prężą się, pozując do zdjęć przed Pałacem na Wodzie. Podobno lis zeżarł jednego z tych narcyzów i za karę został eksmitowany wraz z całą rodziną. Wierzę, że to była eksmisja. Zawsze rozglądam się za puszczykami. Trzeba ich szukać na drzewie z ułamanym wierzchołkiem albo przy Pomarańczarni. Tej wiosny dochowały się czterech puchatych piskląt, które grzecznie siedzą wysoko na gałęzi świerka. Trudno je wypatrzyć z dołu, kilkanaście

minut cierpliwie dreptałem i zadzierałem lornetkę, zanim je znalazłem.

Pod drzewem leżały wypluwki – niestrawione szczątki zjedzonych zwierząt. Mają trochę obrzydliwą formę walcowatej kluski. Zabrałem jedną do domu, rozpuściłem w ciepłej wodzie i to, co brałem za sierść myszy polnej czy nornicy, okazało się sprasowaną masą piór i cieniutkich, wypalonych kwasami żołądkowymi kości, które są dla sów źródłem wapnia. Gdyby karmiło się je samym mięsem, ich szkielet byłby miękki i zdeformowany. Co zjadły puszczyki? Drobna noga z pazurem przypominała oglądane z bliska łapki rudzika, ale mógł to być jakiś inny malec. W ostatnich latach wykarczowano w Łazienkach dużo krzewów, stali bywalcy mówią, że ptaków jest znacznie mniej. Tam, gdzie zostały śnieguliczki, cisy czy trzmieliny, cykają wieczorami rudziki.

6.05

Parę dni temu u Leśnej i Franka wykluły się trzy pisklaki. Z tego czwartego jaja już chyba nic nie będzie.

8.05

Ptasi Patrol to grupa wolontariuszy, która pod wodzą Renaty Markowskiej walczy o prawo do życia dla miejskich ptaków. Dziś pierwszy raz w sezonie interweniowaliśmy w sprawie robót dociepleniowych na Pradze. Zakratowano otwory w stropodachu i jerzyki nie mogą się dostać do swoich zeszłorocznych gniazd. Siedliska są chronione prawnie (Ustawa o ochronie przyrody i Rozporządzenie Ministra Środowiska z 6 października 2014 roku), a administracja budynku nie ma urzędowej zgody na ich zniszczenie. Ale zarządcy zwykle ignorują prawo, kary za jego łamanie są zresztą śmiesznie małe. Mieszkańcy reagują rzadko, zwykle nieskutecznie.

Przyrodnicy często odwracają wzrok, bo walka jest żmudna i niewdzięczna, a przecież miejskie ptaki nie są zagrożone wyginięciem. Cały sezon lęgowy to dla Renaty nieustanne podróże z jednego końca miasta na drugi. Od rana do wieczora. Cztery miesiące nerwów, użerania się w urzędach, kłótni z administratorami.

Zadzieramy głowy, a jerzyki przecinają powietrze czarnymi sierpami skrzydeł i świdrującym gwizdem. Krzyk setek gardeł niesie się po cichym wieczornym niebie. To będzie najładniejszy dźwięk miejskiego lata. Rozpędzone eskadry będą się ścigać jak na obrazie Giacoma Balli *Jerzyki: ścieżki ruchu + dynamiczne sekwencje*. Ciemny łuk sylwetki wielokrotnie powtórzony w łagodnej linii jak na poruszonym zdjęciu. Na ślizg jednego nakładają się powietrzne ścieżki innych ptaków. Dynamika, gwałtowność, a jednocześnie płynność ruchu. Polski tytuł obrazu to *Lot jaskółki*, ale jerzyk, choć podobny, nie jest spokrewniony z jaskółkami. W czasie gdy krążyliśmy pod blokiem, robotnicy od dociepleń przecięli mi opony w rowerze.

11.05

Zajrzałem pod bloczek na Ochocie, gdzie mieszkają J. i M. Budynek już w jednej trzeciej docieplony, a wszędzie wróble. Cztery gniazda za rynną, jedno pod parapetem i dwa za kolejną rynną. Poszedłem do kierownika budowy i starając się nadać swoim słowom stanowczy ton, powiedziałem: „Dzień dobry, na budynku są gniazda wróbli, prace trzeba wstrzymać". Facet popatrzył na mnie dobrotliwie i odparł: „Ja wiem, wiem, my tam nie robimy, a ornitolog będzie po południu". Nie wierzę. Jakiś pan Przemek, uprzejmy robotnik, zgłasza się, że zapisał jego numer. Ornitolog ma na imię Mariusz. „A jak nazwisko?", pytam, bo może znam. „Mariusz Ornitolog", uśmiecha się pan Przemek. Dzwonię, no i faktycznie. Ornitolog. Wszystko wie, ale przyjedzie, zobaczy, oceni. Postanowiłem zrobić zdjęcie samochodu tej niezwykłej firmy budowlanej, która troszczy się o wróble. Biorę aparat, a tu przybiega jakiś facet. Wyciągnięta szyja, ręce sztywno wzdłuż tułowia: „Ale co, co? Po co zdjęcia, co? To mój samochód, nie życzę sobie, co? Co?" „Proszę pana, ja chciałem panu reklamę zrobić, że wróbli nie murujecie!" „Co? Co? – Facet mruga nieprzytomnie. – A, dobrze, bo ja myślałem, że dlatego, że na trawniku stoi, ale na trawniku możemy, bo trawnik spółdzielni".

16.05

Dzisiaj roboty termomodernizacyjne na Woli. Razem z dwójką ochotników pomagamy ornitolożce Dorocie w kontroli budynku. Już po kilku minutach widzimy wlatujące do wywietrzników wróble i mazurki. Na innej ścianie, w miejscu gdzie kable klimatyzatora wchodzą w mur, uwiła gniazdo modraszka. Każdy ornitolog przygotowujący opinię pozwalającą na termomodernizację bloku powinien skontrolować budynek w sezonie lęgowym (niestety nie wszystkim się chce). Jeżeli okaże się, że ptaki złożyły jaja, roboty trzeba wstrzymać. Po kilkunastu minutach podchodzi do nas zdecydowanym krokiem dwóch facetów. To ważniaki ze wspólnoty mieszkaniowej.

„Pani Doroto, pani działania przestają nam się podobać!" – woła młodszy. Zapłacili za opinię ornitologiczną, a nie za jakieś kontrole, kiedy ruszają roboty. Starszy facet zawodzi: „Ile chcecie pjjjeniiiiiędzy?! Łapownicyyyy! Iiiiile jeszcze chcecie wyłudzić?!". Nie jest w stanie pojąć, że ochroną przyrody można się zajmować dobrowolnie, i to w wolnym czasie. Dorota nie odpuści, dopóki wróble nie wychowają w spokoju piskląt. Trzeba też dopilnować, by po sezonie powieszono tu skrzynki lęgowe w ramach tak zwanej kompensacji (chociaż właściwsze byłoby słowo „rekompensata").

25.05

Czasami zastanawiam się, jak wygląda Warszawa oczami ptaków. Może miasto to dla nich naturalna część krajobrazu? Górskie łańcuchy osiedli, chłostane wiatrem turnie wieżowców i łagodne wzgórza kamienic. Dzikie, porośnięte mchami urwiska pustostanów. Głębokie wąwozy ulic. Skalne półki balkonów i parapetów. Zarastające stepy nieużytków. Rumowiska placów budowy. Prerie bocznic kolejowych. Nadrzeczne dżungle. Liany trakcji tramwajowych. Oazy skwerów, uedy kanałów na deszczówkę. Oczka wodne w spękanym asfalcie. Siklawy fontann. Stawy, glinianki, jeziora. Ostatnia duża dzika rzeka Europy.

Życie w mieście wymaga elastyczności. Trzeba przyzwyczaić się do ciągłych zmian krajobrazu. Do stałej obecności człowieka. Do świateł latarni i całodobowego ruchu ulicznego. Ale potem docenia się wygody. Nie ma wielu drapieżników, a jedzenia jest pod dostatkiem (szczególnie dla tych, co korzystają ze śmieci). Sporo gatunków sprowadziło się do miasta całkiem niedawno. Na przykład kos – w centrum Warszawy nie pojawiał się aż do lat sześćdziesiątych XX wieku. Sroka zadomowiła się tu niewiele wcześniej. Proces przystosowania do środowiska miejskiego nazywa się synurbizacją.

1.06

Dziki Zakątek na Polu Mokotowskim. Miasto planuje wybudować tu wybieg dla psów, z przeszkodami, tunelami i oczkiem wodnym. Oficjalnie mówi się, że ma zostać wycięte dwadzieścia sześć drzew, ale rzeczywiście może być ich nawet cztery razy więcej. Rośnie tu wiele śliw i jabłoni pozostałych po dawnych ogródkach działkowych. Niestety zgodnie z prawem drzewa owocowe wolno wycinać bezkarnie. Nikt nie konsultował planów z mieszkańcami okolicy. Nikt nie zbadał wartości przyrodniczej tego miejsca i idę o zakład, że żaden urzędnik nawet się tu nie pofatygował. Biuro Ochrony Środowiska, które stoi za projektem, mówi na dodatek, że drzewa na wybiegu będą dezynfekowane. Urzędnicy boją się psich sików. Dzikie życie nie ma prawa tu przetrwać.

Według opinii zaangażowanego w sprawę biologa, Dziki Zakątek to jedno z najcenniejszych przyrodniczo miejsc na Polu. Ja przyszedłem tu z Pawłem, żeby policzyć i nanieść na mapę gniazda żyjących w Zakątku ptaków. Mój towarzysz, zawodowy ornitolog, prowadził w tym miejscu warsztaty dla dzieci, więc ma dobre rozeznanie. Mimo że pora jest niesprzyjająca (liście zasłaniają już korony drzew), w pół godziny znajdujemy aż siedemnaście tegorocznych gniazd. Imponujący wynik jak na tak niewielką powierzchnię, trudno powiedzieć, ile przegapiliśmy. Są gniazda kwiczoła (osiem), bogatki (dwa), modraszki (dwa), szpaka (dwa), wrony siwej (dwa) i jedno nieoznaczone. Ponieważ przez całą wiosnę kręciły się tu grubodzioby, ich gniazda też tu pewnie są, ukryte za kotarą liści.

Większość ptaków miejskich buduje gniazda na najbardziej pogardzanych przez urzędników drzewach owocowych i klonach jesionolistnych. Te ostatnie są szczególnie nielubiane. „Gatunek inwazyjny" – w ratuszu krzywią się, jakby mówili o jakiejś wstydliwej chorobie. Może dla dendrologów są to drzewa mniej cenne, ale wytrzymują susze i zimowe solenie chodników. I rosną wszędzie. Ptaki też nie narzekają, klony jesionolistne i drzewa owocowe mają wiele naturalnych dziupli. Najciekawsze jest gniazdo kwiczoła, mniej niż metr nad ziemią, zbudowane na wrośniętym w drzewo metalowym słupku. W mieście ptaki wykorzystają każde dogodne miejsce. Składają jaja w palikach ogrodzeń, zamkach furtek, na latarniach. Nie wybrzydzają.

9.06

Betonowy zbiornik na Polu Mokotowskim. Pies, powiedzmy imieniem Fifi, już od dziesięciu minut pływa za kaczką i trzema kaczętami. Ptak nie zrywa się w powietrze, pilotuje potomstwo. Właściciel woła z brzegu (bez energii): „Fiiiifi, Fifiiiiii". Fifi skupiony na kaczce kręci ósme kółko po wodzie. Dwóch wysportowanych młodzieńców obserwuje sytuację. Jednemu kończy się cierpliwość: „K....a! Ściągaj gacie i właź do stawu". No nie może patrzeć, jak kaczka się męczy, szkoda zwierzęcia – tłumaczy mi i koledze. Właściciel psa się kurczy, ale po namyśle wytacza armatkę: „Chamstwo, wezwę służby mundurowe!". Jak na zawołanie zza drzewa wychodzi dwóch funkcjonariuszy. „Było zgłoszenie, że szczuje pan psa na kaczki. Proszę wchodzić do wody". Młodzieńcy tryumfują, naburmuszony właściciel ceremonialnie ściąga szarą skarpetę. Podciąga spodnie i wchodzi do stawu. Na Fifiego przychodzi opamiętanie. Wraz z właścicielem opuszczają zbiornik. Na brzegu już się pisze mandacik.

30.06

Zbyszek prowadzi lecznicę dla zwierząt w swoim M2. Trafiają do niego potrącone jeże, ranne ptaki i pisklęta wyrzucone z gniazd. Najpierw dostaję zadania początkującego wolontariusza. Muszę posprzątać klatki, umyć je z kup, piór i resztek jedzenia. Przełożyć wyścielające je ręczniki na drugą stronę. Najbardziej śmierdzą klatki z dwiema sowami.

Starsza jest dziksza, puszy się i kiwa na boki. Kłapie dziobem i atakuje szponami, kiedy tylko wsadzam rękę do klatki. Druga uszatka jest spokojniejsza. Wyciągam ją z klatki jak kurczaka i stawiam na dywanie. Stoi cierpliwie i patrzy wielkimi żółtymi oczami, co robię. Ma ranę na skrzydle, która zaczęła się paprać i teraz gnijące tkanki trzeba wytrawić. Poza tym ma coś nie tak z okiem. Daję obu po kurzym sercu i embrionie myszy.

– Już jako dziecko znosiłem do domu znalezione gawrony i kawki, które potem w większości zdychały, bo nie umiałem im pomóc. Uczyłem się na własnych błędach. W Polsce nie ma fachowej literatury tłumaczącej, jak zajmować się ptakami. Kiedy człowiek decyduje się ratować znalezionego ptaka, to powinien mieć poczucie, że istnieje instytucja, do której może się zwrócić o pomoc. Nikomu nie odmawiam, ale zdarza się, że ktoś doprowadzi mnie do szału. Mój numer jest ogólnodostępny, ludzie uważają, że jestem centralą informacyjną albo że otacza mnie sześćdziesiąt osób na etacie, a moja organizacja ma oddziały w każdym powiecie. Nie rozumieją, że nie mogę do nich przyjechać, bo sam muszę wykarmić pięćdziesiąt ptaków. Niektórzy mają pretensje, że nie jestem czarujący i ujmujący, nie wskakuję na jedno skinienie do helikoptera, żeby zabrać gniazdo kawek z ich komina w Świętokrzyskiem. Ale są i tacy, którzy z wdzięcznością przyjmują informacje, gdzie przekazać ptaki albo czym je karmić. Słuchają, notują i się uczą. Chociaż wciąż zdarzają się niesamowite historie. Hitem tego sezonu jest młody gawron karmiony przez znalazcę truskawkami – to ptak wszystkożerny, ale bez przesady. Dostałem kiedyś małe modraszki, którym jakaś pani podawała mleko dla kociąt. Chyba tak wyobrażała sobie ptasie mleczko.

1.07
Drozd trafił do Zbyszka od ludzi, którzy postanowili go ratować na własną rękę. Miał złamane skrzydło, a znalazcy go nie usztywnili. Myśleli, że zrośnie się samo. Ten ptak już nigdy nie będzie latał, trafi do specjalnego ośrodka w Mikołowie, gdzie spędzi resztę życia. Zbyszek nie lubi go karmić, bo to jest zawsze dzika walka. Drozd „żąda prawa do śmierci głodowej". Wczoraj były też kłopoty ze ślepym pisklęciem szpaka. Coś mu zatkało jelita. Akcja ratunkowa trwała do czwartej rano. Po konsultacji z weterynarzem Zbyszek kupił w nocnej aptece parafinę. Nie karmił malca, tylko podawał mu płyny. Rano szpak wysrał kłęby tasiemców. Teraz cały czas domaga się jedzenia. Taki mały szpak to worek bez dna. Jak podrośnie, też trafi do Mikołowa. Tam wśród innych szpaków nauczy się bycia szpakiem.

– Nie chciałbym, żeby ludzie odnieśli wrażenie, że prowadzę magiczne życie wśród ptaków – mówi Zbyszek. – To wszystko nie jest normalne, od maja do sierpnia siedzę tu w kompletnej izolacji. Chodzę spać o czwartej, piątej rano, wstaję przed dziesiątą. Karmię ptaki. Przez cały dzień grzebię w kupach, w owadach, w mięsie, ciągle się odkażam. Bez przerwy walczę ze smrodem i sprzątam. Śniadanie jem koło czternastej, wtedy też mogę odpisać na maile – głównie polega to na podawaniu adresów placówek zajmujących się zwierzętami. Znowu karmię ptaki. Pisklęta powinny jeść co godzinę, jestem w ciągłym niedoczasie. Przekładam na drugą stronę ręczniki, którymi wyściełane są klatki. Kupuję mrożonki. Obiadokolację jem o dwudziestej drugiej. O chorobach zawodowych dowiem się za parę lat. Chyba nie mam pasożytów. W sierpniu boli mnie kręgosłup, bo mam do wykarmienia dziesiątki jerzyków. To są godziny spędzane w pochylonej pozycji siedzącej, ale wtedy przynajmniej mogę coś obejrzeć na laptopie. W sezonie lęgowym śpię po cztery godziny, dlatego zimą z czystym sumieniem odsypiam. W zeszłym roku położyłem się w połowie października i wstałem po dwóch tygodniach. Budziłem się co kilkanaście godzin, żeby coś zjeść, i znowu się kładłem. Spałem nawet po dwadzieścia godzin dziennie. Na początku listopada poczułem się wyspany i mogłem zająć się pracą.

13.07

Warszawa to oczywiście metropolia w skali naszego kraju, ale pomyślmy o prawdziwych miejskich gigantach. Nowy Jork na przykład. Megalopolis z betonu, szkła i stali. Wydawać by się mogło, że bycie przyrodnikiem w takim miejscu to najbardziej frustrująca rzecz na świecie. Appalachy Manhattanu i kaniony prostopadłych ulic. Kto by pomyślał, że w krainie Woody'ego Allena i Lou Reeda istnieje jakieś życie poza towarzyskim? A jednak – w porze wędrówki ptaków Nowy Jork to mekka miejskich ornitologów. Miasto w widłach dwóch wielkich rzek, na brzegu oceanu. Miliony ptaków przelatują tędy od tysięcy lat i szlaku ich migracji nie mogło zmienić nagłe wypiętrzenie się drapaczy chmur. Wiele ptaków nie tylko przelatuje nad Nowym Jorkiem, ale też zatrzymuje się w nim, by zregenerować siły. Dlaczego? Z powodu wielkiej zielonej wyspy pośrodku miasta.

Central Park powstał w XIX wieku i zajmuje ponad trzysta hektarów. Mimo że jest opasany przez miasto-potwora, w niektórych miejscach zachował zdumiewająco dziki charakter. Regularne zadzieranie głowy na Manhattanie pozwala zobaczyć w ciągu roku nawet dwieście gatunków ptaków. Starr Saphir przez kilkadziesiąt lat obserwacji odnotowała ich w samym Central Parku dwieście pięćdziesiąt dziewięć. Była guru wielu pokoleń nowojorskich ptasiarzy. Zmarła w 2013 roku na nowotwór, z którym walczyła przez jedenaście lat. Nawet w czasie chemioterapii dwa, trzy razy w tygodniu oprowadzała po parku wycieczki ornitologiczne. Jeżeli ptaków było dużo, spacery trwały i po sześć godzin. Pochylona, stawiająca kroki z wyraźnym wysiłkiem Saphir robiła w tym czasie tylko dwie niedługie przerwy. Za udział płaciło się osiem dolarów, a spacery odbywały się praktycznie do jej śmierci.

14.08

Czerwone słońce powoli gramoli się z lasu za rzeką. Spało dziś koło Józefowa. Nad wodą sunie mglisty opar, z wilgotnego obłoku powoli wyłaniają się kształty. Posępna czapla jak siwy rycerz w szarej pelerynie stoi nieruchomo na piaszczystej wyspie. Patrzę przez lunetę, jak w kałużach wysychającej rzeki brodzą bataliony. Brązowe, niepozorne upierzenie w niczym nie przypomina ekstrawaganckich, napuszonych kryz z maja. Jakbyśmy mieli do czynienia z zupełnie innym gatunkiem. U ich stóp drepcze, kiwając nieustannie ogonem, pękaty piskliwiec. Jak małe, pulchne dziecko. Daleko na wąskim jęzorze łachy sonduje muł pięć kamuszników – zrobiły krótki postój w drodze na zimowisko. Ciemne śliniaki o tej porze roku mają już wyblakłe i przerzedzone. Anglicy nazywają te ptaki *turnstones*, obracaczami kamieni. Tymczasem M. kładzie się na lodowatym piasku i przykrywa maskującą płachtą. Będzie tu leżał z aparatem wycelowanym w nadbrzeżne płycizny, a ja idę dalej, żeby nie płoszyć mu ptaków.

10.09

Droga szybkiego ruchu na Woli otoczona ekranami akustycznymi. U stóp zielonego płotu leży na brzuchu trup młodej kukułki. Biorę patyk, by obrócić zesztywniałe ciało. Wstrzymuję oddech, spodziewając się smrodu gnijących tkanek i mrowia pożerających mięso larw, ale kukułka jest tylko powłoką bez ciała, waży tyle, ile okrywające ją pióra i puste w środku kości. Reszta wyjedzona do czysta. Naukowcy szacują, że przy zderzeniach z szybami i ścianami budynków ginie co roku w Ameryce od trzystu milionów do nawet miliarda ptaków. W Polsce nie prowadzono podobnych badań na większą skalę. Sylwetki sokołów i kruków naklejone na ekrany nie odstraszają przelatujących ptaków. Podobno skuteczne są zatopione w pleksi kratki, które odbijają widoczne dla ptaków promienie UV. Powoli zaczynają się u nas pojawiać.

8.10

David Lindo jest jednym z najbardziej znanych brytyjskich ornitologów miejskich. W inspirującej książce *The Urban Birder* wykłada swoją filozofię podglądania ptaków: „Po prostu zadzieraj głowę" („*Simply look up*"). *The Urban Birder* to nie tylko ptasiarskie credo autora, ale i zajmująca historia pasji. Lindo interesował się ornitologią od najmłodszych lat, które spędził na północno-wschodnich przedmieściach Londynu. Z dużym wdziękiem opisuje swoje pierwsze obserwacje, typowe pomyłki i rozterki początkującego ornitologa. Przetrząsanie najbliższej okolicy, chodzenie z wiecznie zadartą głową, godziny ślęczenia nad atlasem. I przekonanie, że najciekawsze są nie przystrzyżone trawniki i wychuchane rabaty, tylko chaszcze i wszystko to, co wywołuje skrzywienie na twarzy miejskich pedantów.

Lindo uznał, że obserwowanie ptaków w miastach należy dowartościować. Dla wielu z nas bloki i ulice stają się powoli naturalnym środowiskiem. Przyjmuje się, że już w 2050 roku niemal trzy czwarte mieszkańców naszej planety będzie żyć w miastach. Tymczasem nawet najbardziej typowe gatunki miejskich ptaków – gdy wskaże się je ludziom, którzy nie mają o nich pojęcia – potrafią wzbudzić szczery zachwyt. Trzeba uczyć, że przyroda jest wszędzie i potrzebuje naszej opieki. Najlepiej zacząć od drobnych spraw – uświadomić, jak ważną rolę odgrywają trawniki upstrzone wiosennymi mleczami, parkowe zarośla czy zdziczałe drzewka owocowe. Jeżeli uda się wytłumaczyć, po co zachować Dziki Zakątek na Polu Mokotowskim, to konieczność ochrony bezcennych, tysiącletnich ekosystemów wyda się już oczywistością, prawda?

5.11

Staszek przysłał mi film z przechadzającą się po mieszkaniu słonką. Wygląda zupełnie jak kiwi. Małe, pękate stworzenie na krótkich nogach i z długim dziobem. Staszek znalazł ją w okolicach placu Unii Lubelskiej, przetrzymał przez noc i oddał do Ptasiego Azylu w warszawskim zoo. Ptak leciał na zimowisko i grzmotnął w szybę jakiegoś budynku. Na filmie nie wygląda na bardzo potłuczonego. Może za kilka dni nabierze sił i odleci? Słonka to przedziwny ptak, jej dziób to wrażliwa sonda, która służy do wyszukiwania w ziemi bezkręgowców. W dotyku jest zaskakująco miękki. Słonka słabo widzi to, co dzieje się przed nią – jej wielkie, wypukłe oczy osadzone są po bokach głowy. Taka budowa ma swoje zalety. Słonka ma szerokie pole widzenia i nie daje się łatwo zaskoczyć drapieżnikom. Szyby przed sobą widocznie nie zauważyła. My widzimy słonki najczęściej wiosną podczas tak zwanych ciągów, czyli lotów tokowych. Samce lecą wtedy bardzo powoli tuż nad koronami drzew i wydają przy tym przedziwne odgłosy. Chrapią i psykają.

9.11

Odwiedzam puszczyki z mokotowskiego parku. Zawsze kiedy zadzieram głowę, wypatrując znajomych, napuszonych kształtów, ktoś czujnie zagaja. „Dzisiaj nie ma, bo już patrzyłem. Pierwsza rzecz, jak w parku jestem, to patrzę, czy sówki są" – rozpromienia się alkoholik z psem. Żwawa emerytka podpowiada: „O, ja właśnie chwilę mam, to sprawdzam, czy siedzą. Jak szarego nie ma przy złamanej gałęzi, to znaczy, że siedzi w grubej lipie przy pałacu". Rzeczywiście, siedzi. Gdyby nie instrukcja, pewnie bym go nie wypatrzył. Przystaję pod drzewem, a puszczyk na moment podnosi powieki. Spogląda niechętnie, z wyższością. Nie przedstawiam sobą nic ciekawego. Po chwili wraca do przerwanej drzemki.

3.12

Przy garażach na Sanockiej mignął mi rudy ogon. Kopciuszek lubi place budowy, gruzowiska, bezdrzewne centra miast, słowem – miejsca, które przypominają rumowiska skalne w wysokich górach. To była jego ojczyzna, stamtąd wyruszył na podbój nizin. Parę lat temu w drodze na Zawrat usłyszałem jego trzeszczący świergot. Był jedynym ptasim głosem w labiryncie granitowych bloków dwa kilometry nad poziomem Bałtyku. Kilkaset metrów niżej Dolina Pięciu Stawów rozbrzmiewała śpiewem siwerniaków i pokrzywnic, w kosówce uwijały się czeczotki. W ciszy kamiennej pustyni kopciuszek był sam. Tylko raz gwizdnął przeszywająco świstak.

Większość kopciuszków jesienią odlatuje na Południe, ale co roku trafiają się osobniki, które próbują przezimować w mieście. Ten z Sanockiej będzie szukał bezkręgowców na ogrzanych ścianach budynków i przy wywietrznikach. Ale kiedy przyjdą mrozy, będzie mu bardzo ciężko. Kto wie, może jeszcze ruszy na Południe? Zeszłego roku koło Biblioteki Narodowej zimował taki czarny jak węgielek kopciuszek. Dwutygodniowe mrozy pod koniec stycznia nieźle dały mu w kość, więc podkarmiałem go robakami ze sklepu wędkarskiego. Przetrwał.

Bocian imieniem Stonelis

Jest dopiero dziesiąta rano, a w samochodzie już zrobił się piekarnik. Plastik na kierownicy, który imituje skórę, najpierw parzy, a potem klei się do rąk. Gorące powietrze powoli ucieka przez uchylone szyby. Rankiem na drodze zawsze widać nowe trupy i dziś na poboczu też leży przetrącony rudzielec. Nie ma w nim już życia, to wiatr porusza jego puszystym ogonem. Kolega zbiera takie zwłoki, kładzie przed czatownią i czeka z aparatem na drapieżniki. Ale nawet gdybym chciał zabrać martwego liska, to: siedzenia mam zawalone mapkami, tabelkami i instrukcjami; policja mogłaby mnie oskarżyć o kłusownictwo; przede mną cały dzień jazdy w upale. Poza tym dużo porannej energii włożyłem w to, żeby wyglądem wzbudzać zaufanie, nie mogę się teraz uświnić krwią. Mam do policzenia bocianie gniazda w gminie Grabów nad Pilicą.

Germanista, obrońca przyrody, miłośnik Tatr. Pierwszy zdobywca Świnicy. Ksiądz katolicki, który zrzucił sutannę, założył rodzinę i został pastorem. Eugeniusz Janota, człowiek wielu talentów, był już u kresu życia, kiedy w 1876 roku postanowił zliczyć bociany w zaborze austriackim. W tym celu na łamach „Szkoły" i „Gazety Szkolnej" zwrócił się do nauczycieli ludowych z prośbą o informacje na temat ptaków gniazdujących w ich okolicy. Jak skrupulatnie wyliczył, jego apel mógł dotrzeć do trzech tysięcy czytelników. Odpowiedziało zaledwie stu siedemdziesięciu sześciu, w tym, co podkreślał, trzydziestu pięciu Rusinów. „Doniesienia tych nauczycieli były po największej części z ochoczą uczynione gotowością i dokładnością, za którą im tutaj z przyjemnością uprzejme składam podziękowanie".

Do międzynarodowej akcji spisu bocianów Polska przystąpiła w 1934 roku. Od tego czasu ptaki i gniazda liczy się mniej więcej co dekadę. Mniej więcej, bo w czasie wojny jakoś nikt nie miał do tego głowy. Spis metodą partyzancką mógł przybrać dla rachmistrza niepożądany obrót. Z notesikiem i lornetką wylądowałby pewnie pod płotem jako szpieg czy sabotażysta. W burzliwych latach powojennych też znalazły się sprawy pilniejsze niż poszukiwanie bocianów. Również w latach sześćdziesiątych z nieznanych mi powodów ptaków nie liczono.

Gmina Grabów zaczyna się za mostem w Warce. Krajobraz zupełnie inny niż na drugim, wysokim brzegu Pilicy. Płasko, rolniczo i biedniej. Nie ma drzew owocowych ani polbruku na podwórkach, jak u jabłkowych baronów powiatu grójeckiego. Końcówka lipca to ostatni moment na liczenie, ptaki mogą być już poza gniazdem. Po drodze widzę, jak rodzice spacerują z młodymi po łąkach. Najlepiej od razu pytać gospodarza: Ile było piskląt? Czy wszystkie przeżyły? Czy w okolicy są inne bociany? W Kępie Niemojewskiej wszyscy mówią o jednym gnieździe z trójką młodych.

Z poprzednich spisów wiem, że gniazdo istnieje tu od co najmniej dwudziestu lat. Bocianie podrostki akurat jedzą coś, co przyniósł im dorosły ptak, ale już za chwilę rozlatują się po okolicy. Zapisuję w tabelce według wskazówek: SEBO („słup energetyczny, betonowy o przekroju okrągłym"), PM („platforma metalowa"), HPm3 („trójka młodych"), stan gniazda: zły (i w uwagach: „Gniazdo zbyt duże"). Od co najmniej dwudziestu lat ptaki co roku przynoszą na ten stos nowe gałązki, nic więc dziwnego, że konstrukcja jest olbrzymia. Zdarzało się, że takie zbite, sklejone błotem, ważące kilkaset kilogramów gniazda spadały, druzgocąc dachy.

W całej Słowiańszczyźnie bocianie gniazdo oznaczało dobrą wróżbę. Miało chronić gospodarzy przed piorunami i ogniem. Sam ptak był rzecz jasna symbolem płodności. Zjawia się u nas przecież, gdy ustępuje zimowa martwota, a ziemia znowu gotowa jest dawać plony. Bocianie skrzydła – „wczesny sztandar wiosny", pisze Mickiewicz. No i oczywiście ptak przynosi dzieci, najczęściej wrzuca je przez komin (ta figlarna konotacja: czarny otwór i falliczny czerwony dziób). Bociany od wieków mieszkały w sąsiedztwie człowieka, nic dziwnego, że nadawano im cechy ludzkie. W starożytnej Grecji, później w Rzymie wierzono, że ptaki troszczą się o swych starych, zniedołężniałych rodziców. Dlatego obowiązek opieki nad rodzicami nazwano *lex ciconaria,* prawem bocianim.

Ostatnie gniazdo w Kępie Niemojewskiej, a jeszcze dwadzieścia lat temu były trzy. Sto lat temu – pewnie kilkanaście, a może kilkadziesiąt. Myślę, że cała okolica wyglądała trochę jak z obrazu Chełmońskiego. Wiosną Pilica rozlewała się szeroko, a na pastwiskach skubały trawę stada cierpliwych krów. Bocian lubi niską łąkę, w wysokiej trawie trudno wypatrzyć zdobycz – drobne ssaki, gady, płazy, młode ptaki. Ale krów teraz jak na lekarstwo, trzyma się je tylko z przyzwyczajenia. Kosić łąk z kolei za bardzo się nie opłaca. Pastwiska zarastają. To, co kiedyś było podmokłe, zmeliorowano, obsiano i pewnie już dawno porzucono. Rzeka też już prawie nie wylewa.

Stara legenda brzmiała mniej więcej tak: kiedy Pan Bóg stworzył świat, wszystkie osty, kleszcze i ludzi, i siódmego dnia odpoczywał, spostrzegł, że w jego idealnym ogródku mnoży się jakieś paskudztwo: oślizgłe płazy, gady i robale. Wszystko, co pełza, szoruje brzuchem po piasku, bliskie jest ciemności i diabłu. Człowiek też nie unosi się przecież nad podłogą, dlatego musi walczyć o swoje zbawienie. Zakasał więc Pan Bóg raz jeszcze rękawy, zszedł na ziemię i wyzbierał świństwo do worka. (Jakże tu nie wierzyć, że powstaliśmy na Jego podobieństwo – tak przecież lubimy wszystko porządkować po swojemu. Chabry, wrotycze, a szczególnie te bezczelne mlecze wytrujemy roundapem).

Ale nie traćmy z oczu dzieła Pana Boga. Plugastwo w worku przekazał zaufanemu człowiekowi i nakazał wrzucić je do wody. Utopić. Jak szczeniaki, które się tak bezmyślnie mnożą na wsi. Pan Bóg nie poznał się jednak, widać, na swoim stworzeniu, bo zaufany człowiek nie miał zamiaru tak szybko pozbyć się worka. „Śmieci Pana Boga to mogą być całkiem porządne śmieci!" – pomyślał i klepnął się z uciechy w udo, bo zwęszył interes. Rozsupłał sznurek, ale zanim zdążył wsadzić głowę do środka, z wora wypełzły wszystkie kumaki, traszki i zaskrońce.

Rozpełzło się to w trawie, a człowiek stał i patrzył z rozdziawioną głupio gębą. Pan Bóg się zdenerwował. „Od teraz do końca świata będziesz zbierał, durniu, co wypuściłeś" – powiedział i machnął ręką, a człowiek zamienił się w bociana. A właściwie w prototyp bociana, jeszcze obdarzony ludzkim głosem, dlatego zaczął protestować. Biadolił, powołując się na jakieś nieistniejące prawa i konwencje, ale Pan Bóg nie miał już do niego cierpliwości. Jeszcze chwila i byłoby po ptaku. „Bez sensu niszczyć coś, co się dopiero stworzyło", pomyślał jednak Pan Bóg i postanowił, że zabierze bocianowi język. Od tego czasu ptak może tylko klekotać. Smutna to historia, bo wywodzi bociana od jakiegoś oślizgłego cwaniaka. Podobno, jak przekazał badacz folkloru litewskiego Ludwik Adam Jucewicz, na imię było mu Stonelis.

Brygada tynkuje dom morelowym barankiem, a ja, choć boję się trochę szyderstw, pytam, czy nie wiedzą nic o bocianach w okolicy. A owszem, uśmiechają się z sympatią, na gnieździe w Łękawicy dwa ptaki przeżyły i siedzą na trupie brata. Ale robotnicy w większości nie stąd, więcej nie słyszeli. Tylko jeden jest ze wsi, ale on prycha ze złością: „Bociany! Jeszcze tym bym się interesował!". Trafił się akurat taki, człowiek pełen pasji. Tymczasem robi się zimno, niebo zaciąga szara chmura.

W Zakrzewie też jakoś słabiej, w 1994 roku były tu dwa gniazda, teraz tylko jedno. Dwa młode odchowane, ale jedno jajo i jedno dorosłe pisklę ptaki wyrzuciły. Tego ludzie zrozumieć ani wybaczyć nie potrafią. A chore, zarobaczone pisklę to zagrożenie dla reszty rodzeństwa. Kalekie albo niedorozwinięte – kolejny żarłoczny dziób do wykarmienia. A przecież i tak prędzej czy później zdechnie. Instynkt podpowiada bocianim rodzicom, że w przyrodzie nie ma miejsca dla chorowitych i zasmarkanych. „Może też między temi ptakami panują zasady starożytnych Spartańczyków, bo smutny ten los trafiać ma przede wszystkiem słabowite młode", spekulował Janota.

A to wyrzucone jajko? Może było niezalężone? Albo pękło w jakiejś szturchaninie? Bociany często walczą o gniazda w dobrych miejscach. A tu teren sprawdzony, dwóch gniazd może nie wykarmi, ale jedno z całą pewnością. Rzeka niedaleko, a pola z gryzoniami tuż za płotem. W sezonie dorosły bocian staje na głowie, by wyżywić młode. Codziennie przez ponad dziesięć godzin ugania się za wypuszczonym z worka plugastwem. Dla czwórki młodych para dorosłych przynosi dziennie nawet do trzech kilogramów pożywienia. Potomstwo w pierwszych dniach życia karmione jest dżdżownicami. Wraz z ziemią z ich przewodów pokarmowych pisklęta przyswajają metale ciężkie (badania młodych ptaków mogą wiele powiedzieć o stopniu zanieczyszczenia okolicy). Potem zresztą wchłaniają je rozpuszczone w ciałach gryzoni, gadów, płazów i owadów. Bociany nie filetują swoich ofiar, tylko połykają je w całości, bo bez wapnia z ich kostek i piór bocianie szkielety byłyby słabe i łamliwe. Z niestrawionych resztek, tak samo jak sowy, formują w żołądku walcowate wypluwki. Można w nich znaleźć szczątki zjadanych stworzeń – chitynowe pancerze owadów i kości kręgowców.

Gospodyni z Grabowa Zaleśnego przygarnęła wyrzucone z gniazda pisklę i przepisowo karmi je żywymi rybami. Wnuczek łapie je w jakimś stawie, a bocian łowi z wiadra. Właśnie się najadł, więc patrzy na nas, pochyla głowę, unosi skrzydła i syczy. „To z radości" – mówi wnuczek z miną Linneusza. Bociania para i tak wychowuje trójkę młodych, czerwone łapy ma pełne roboty, ten czwarty był pewnie najsłabszy.

Ptak całymi dniami łazi po obejściu, podlatuje, czasem goni kota, który plącze się pod nogami. Wygląda dobrze, zdrowo, znaczy – nadrobił różnicę. Ale jest ignorowany przez bocianią rodzinę, która piętnaście metrów dalej przesiaduje w gnieździe. Gospodyni martwi się, co będzie zimą. Do domu go nie weźmie, poza tym bocian ma szalony apetyt, karmienie go to poważne koszty. Radzę zapakować ptaka w kartonowe pudło i zawieźć do warszawskiego zoo. Jesienią dostaję jednak wiadomość, że bocian w ostatniej chwili dołączył do swoich i poleciał w nieznanym kierunku. Drewniany słup (skrót PD), na którym stoi gniazdo, jest przechylony i zbutwiały, trzeba go pilnie wymienić, zanim zwali się na nowo postawione ogrodzenie.

Nie rozumiem, dlaczego spośród tylu wspaniałych obrazów Chełmońskiego akurat *Bociany* cieszą się największą sławą. Pewnie to kwestia tematu, w końcu bocian jest naszym nieformalnym godłem. Ale kiedy spoglądam na ten ckliwy, swojski landszaft, widzę tylko sztuczność przedstawionej sceny. Dlaczego stary oracz zabiera się do obiadu, siedząc z wyprostowanymi nogami? Trudno sobie wyobrazić bardziej niewygodną pozycję do jedzenia. Szczególnie że od orki muszą go boleć plecy. I dlaczego będą jeść w pełnym słońcu? Nie uwierzę, że na miedzy nie rośnie jakaś stara grusza. A te szybujące na niebie bociany też jakoś nieszczególnie udane.

W Wyborowie jeszcze dziesięć lat temu było stare gniazdo, które opuściła trójka młodych. Bociany zjawiły się tu też ostatniej wiosny, ale przepędzili je sąsiedzi. „Mówili, że strzelać do nich będą, bo im gołębie straszą" – opowiada szeptem gospodyni, rozglądając się i pukając w czoło. „Policję można wezwać, nie wolno płoszyć ptaków z gniazd", tłumaczę, ale kobieta uśmiecha się jak do trzylatka. „Panie, ja tu już bym życia nie miała".

Prześladowanie, zrzucenie gniazda, a w szczególności zabicie bociana w wielu kulturach uznawane było za ciężki grzech. Na Mazowszu sprawca mógł się spodziewać śmierci syna. Popularny był też przesąd, że bociany mszczą się, podpalając strzechy domów (ogień potrafiły krzesać dziobem). Podobno umiały też wywołać nieprzerwaną ulewę, od której gniło siano, czy długotrwałą suszę, która zamieniała ziemię w spękaną skorupę. Albo raz a dobrze – konkretne, zdrowe gradobicie, które kładło pokotem całe łany.

Faceci przy kapliczce też dobrze zorientowani. Wiedzą o gniazdach w Broncinie i Łękawicy. Rzadko miewam to krzepiące poczucie, że ludzie jednak są dobrzy. Mężczyźni cieszą się, że bociany mieszkają jeszcze w okolicy, i martwią, że ich ubywa. Ale nie sądzę, żeby byli gotowi z tego powodu wylewać na pola mniej chemii i wrócić do mozolnego, tradycyjnego sposobu uprawy. Po półgodzinnym błądzeniu polnymi drogami, wsłuchując się w trzaski dobiegające z podwozia, docieram do Broncina. Na samotnym betonowym słupie dwójka młodych. Na stodole gotowa platforma pod kolejne gniazdo, według pomysłu gospodarza. „Mąż to jest, proszę pana, taki pomysłowy Dobromir", mówi z dumą pani w kwiecistej chustce.

Wychodzi słońce, znowu robi się gorąco, ożywiają się przydrożne świerszcze. Nisko nad trawami sunie błotniak łąkowy, gdzieś wyżej owady łowi sierposkrzydły kobuz. W Łękawicy przy plebanii zapowiadane gniazdo. Jeden młodzik stoi, drugi pewnie kręci się po polach z rodzicami. Ten, którego oglądam, chyba jakiś słabszy, dorosłe wciąż przynoszą mu jedzenie. W gnieździe przy każdym podmuchu widzę poruszające się czarne skrzydło martwego pisklęcia. Dziwne, że rodzice nie wyrzucili trupa, gnijące zwłoki to duże niebezpieczeństwo. Może ptak zaplątał się w jakieś zniesione do gniazda sznurki? To częsta przyczyna śmierci lub okaleczenia młodych bocianów.

W Łękawicy jest jeszcze gniazdo przy stawach rybnych, a na nim trzy młode boćki. Miejscowość w ogóle nie figuruje w spisach z 1994 i 2004 roku. A więc to jednak nie do końca prawda, że dla grabowskich bocianów nie ma już nadziei. Gniazdo przy stawach to również dom co najmniej jednej pary mazurków, tych wiejskich kuzynów wróbli. Dzicy lokatorzy to wcale nie rzadkość – tak potężne konstrukcje mają wiele zakamarków. Dotychczas stwierdzono wykorzystywanie bocianich gniazd przez aż czternaście gatunków ptaków. Od wróbla i pliszki przez kosa do pojedynczych przypadków lęgów krzyżówki, a nawet pustułki! Łękawickie mazurki wiedziały, co robią, bo kilkadziesiąt metrów stąd są stajnie, a w nich dużo wspaniałego owsa i much.

W 1899 roku, krótko przed *Bocianami* Chełmoński namalował wyrafinowany w swej prostocie *Stóg siana na Pińszczyźnie.* Obraz przykuwający uwagę nostalgicznym nastrojem i ciepłą kolorystyką pogodnego letniego wieczoru. Spokojna toń, podmyty stóg siana, a na nim bocian – odwrócony tyłem do widza poprawia sobie pióra. W wodzie odbijają się różowe wieczorne cumulusy. Horyzont umieścił Chełmoński nisko, więc to emanujące spokojem niebo przygniata. Jest w tym obrazie tyle powietrza, że niemal czuć zapach wody i pobliskich łąk. Takiego poleskiego bociana mogę sobie powiesić na ścianie – kameralnego, zatopionego w krajobrazie, osobnego.

Utniki stoją na naprawdę brzydkiej, monotonnej równinie. Na gnieździe znowu trzy bocianki, to stanowisko istnieje od co najmniej dwudziestu lat. Furtka uchylona, pies patrzy na mnie bez sympatii, ale nawet nie szczeknie. Wchodzę na podwórko, wołam jakoś tak głupio: „Przepraszam! Przepraszaaam?", ale nikt się nie zgłasza po moje przeprosiny. Drzwi do domu zapraszająco niedomknięte, więc robię krok do środka, a tam staruszek na tapczanie patrzy na mnie nieprzytomnie. Obok na ceracie zimna herbata w szklance z metalowym koszyczkiem. Pytam bez przekonania o bociany, ale on mówi bardzo niewyraźnie, patrzy gdzieś w ścianę zamglonymi oczami. Wycofuję się i zmykam w nadziei, że nie wróci jakiś podejrzliwy syn, synowa albo agresywny zięć.

Utniki jakoś niezauważalnie przechodzą w Grabinę, zmianę miejscowości sygnalizuje tylko tablica przy wjeździe. Tu pada gminny rekord, cztery młode. Gospodarz trochę obrażony, bo bociany chciały go zdradzić i wiosną zaczęły budować gniazdo dwa słupy dalej, u sąsiadów. Ale coś im tam nie pasowało i wróciły. „Źle im u nas było?" – rzuca w stronę słupa z pretensją. „No, ale wróciły, są przecież" – dziwnie się czuję jako adwokat bocianów. Ludzie nadają im imiona, przywiązują się, dąsają, wybaczają, rozczulają. Był taki Kuba w Karwiku na Mazurach, mieszkał na polu namiotowym. Jeździliśmy tam co roku i patrzyliśmy, jak spaceruje dostojnie po polu za domem. Niestety którejś wiosny Kubę trafił szlag. Biedak zamknął nogami obwód na linii średniego napięcia. Podobno rozpaczali letnicy, rozpaczali mieszkańcy, rozpaczali nawet faceci obsługujący śluzę na Kanale Jeglińskim.

Janota pisał wiele o zdradzie małżeńskiej u bocianów. O zazdrości, o kłótniach rodzinnych, ale i o przywiązaniu. Dzielił się na przykład taką historią: „W r. 1847 w Prokocimie burza zrzuciła od wielu lat znanej parze bocianów część gniazda, stłukła dwa jaja zasiedziane i zabiła dwoje piskląt. Na wiosnę 1848 r. przyleciała znowu ta sama para, lecz ptaki były smutne, dnie i noce spędzały, stojąc lub siedząc obok siebie, a przytem tak czule się kochały, tak miłośnie pieściły, tak zawsze do siebie tuliły się! Na żer zawsze razem leciały, zawsze razem wracały, zawsze smutne i milczące wcale nie klekotały. [...] Potomstwa w tym roku żałoby nie miały. Dopiero w r. 1849 głośnym klekotaniem oznajmił bociek zwracającym nań uwagę, że został ojcem".

Bocian na swoje szczęście ma niezbyt dobre mięso. Mateusz Cygański, pradziadek polskiej ornitologii, w XVI-wiecznym *Myślistwie ptaszym* opisał ten fakt wierszem:

To ptak domowy: Pożytek go taki
Jadowite, sprosne trawi robaki.
I przetoż rzadko Myśliwiec nań iedźie,
Nie rad go iada na swoim obiedźie.

Stary Testament zaliczał bociana do ptaków nieczystych i zabraniał spożywania jego mięsa. Można więc uznać, że ochrona przyrody rozpoczęła się kilkaset lat przed naszą erą, kiedy Jahwe rozkazał synom Izraela: „Spośród ptaków będziecie mieli w obrzydzeniu i nie będziecie ich jedli, bo są obrzydliwością, następujące: orzeł, sęp czarny, orzeł morski, wszelkie gatunki kani i sokołów, wszelkie gatunki kruków, struś, sowa, mewa, wszelkie gatunki jastrzębi, puszczyk, kormoran, ibis, łabędź, pelikan, ścierwik, bocian, wszelkie gatunki czapli, dudek i nietoperz".

Bocian nie trafił na talerze, ale padał ofiarą medycyny ludowej. Janota odnotował, że wnętrzności ptaka były „lekarstwem na morzyska i na zapalenie nerek", tłuszczem „smarowano członki podagrą lub drżączką dotknięte", a serce „ugotowane w wodzie wraz z tą wodą zalecano na padaczkę". Dla zdrowotności jedzono też paskudne mięso: „Nawet Aldrovandi uważał [je] za skuteczne w porażeniach i udarze". Żółć podawano na ból oczu, a żołądek („wysuszony i sproszkowany") leczył zatrucia. Zjadano nawet bocianie kupy rozpuszczone w wodzie. „Na Przedgórzu Sudeckim w latach dziewięćdziesiątych XX wieku odnotowano przypadek pobierania fragmentów wylepy z bocianiego gniazda (stanowiącej mieszaninę odchodów i błota) z zamiarem podawania dziecku choremu na padaczkę". Tę kurację chyba udaremniono.

W Grecji po zrzuceniu tureckiego jarzma niemal całkowicie wytępiono te ptaki, bo cieszyły się opieką okupanta. Na szczęście populacja przetrwała. Na afrykańskich zimowiskach wciąż poluje się na bociany dla mięsa. W 1822 roku w meklemburskim Klütz ustrzelono i wypchano ptaka, z którego wystawał grot zdobionej strzały. Eksponat można podziwiać w gablotach uniwersyteckiego muzeum w Rostocku. Metody polowania nie zmieniły się zasadniczo od dwustu lat. Jakiś czas temu niedaleko Bełchatowa pojawił się bocian ze strzałą tkwiącą w nodze. Rana ładnie się zagoiła, a ptak nauczył się żyć z patykiem wystającym z ciała.

Dojeżdżam dziurawą drogą do kolejnej miejscowości, a na horyzoncie straszy już gigantyczne kowadło cumulonimbusa. Szykuje się apokaliptyczne oberwanie granatowej chmury. Gniazdo widać z daleka, ale bociany już rozleciały się po okolicy. Pierwsza napotkana osoba podaje komplet informacji: troje piskląt odchowanych, jedno wyrzucone, żyje, jest pod opieką gospodarzy. Widzę bociana, jak kuca na swoich młodzieńczo czarniawych nogach, a obok leży na wznak żółty kundel. Starszy pan mówi, że ptak jest syna, to syn go przyniósł i odchował. Bocian pewnie byłby wdzięczny, gdyby wiedział, co to wdzięczność, ale zgodnie z polskim prawem syn nie może go trzymać w charakterze maskotki. Swoje uwagi zachowuję jednak dla siebie.

Wyrzucone z gniazda pisklęta i jajka były, w zależności od regionu, zapowiedzią dobrych zbiorów albo nieurodzaju, deszczu albo suszy. Uzależniony od kaprysów pogody rolnik wszędzie wypatrywał znaków. A wychowane przez ludzi bociany były stałym elementem wiejskiego krajobrazu. Wojtki, Kajtki, Kuby. *Kajtkowe przygody* Marii Kownackiej opowiadały o takim właśnie wychowanym w zagrodzie boćku. Niezastąpiony Janota donosił, że pewien weterynarz flensburski Hanson „radził, aby z każdego gniazda corocznie brać po jednym młodym bocianie, chować go przez zimę, potem obcinać mu lotki i używać go do łowienia myszy".

Sporą część życia Władysława Aleksandra Maleckiego skrywa biała plama. Wiemy, że ten zapomniany pejzażysta z drugiej połowy XIX wieku ukończył warszawską Szkołę Sztuk Pięknych. Rzekomo brał udział w powstaniu styczniowym, ale rodzinnych przekazów nie udało się potwierdzić. Później, podobnie jak wielu współczesnych mu polskich malarzy, przez dłuższy czas mieszkał w Monachium. Na jego twórczość duży wpływ wywarli barbizończycy (szczególnie Constant Troyon), postulujący ucieczkę z miasta i zwrot ku czystemu pejzażowi. Malecki cenił też uczestnika Komuny Paryskiej Courbeta, bezkompromisowego realistę, który w 1866 roku namalował obraz przedstawiający waginę i zatytułował go bezczelnie *Pochodzenie świata*.

Malecki nie był jednak skandalistą. Interesował się niezakłóconym krajobrazem, człowiek na jego obrazach jest jedynie barwną plamą, która ma ożywiać płótno. W 1874 roku malarz stworzył swoje najbardziej znane dzieło – *Sejm bociani*. Ptaki zbierają się do odlotu, ciemna, dojrzała sierpniowa zieleń lasu szarzeje w wątłym świetle zachodu. Białe bociany kontrastują z ciemnym tłem ściany drzew. Rzeczka i smutne drzewa na jej brzegu. Topole? Wierzby? Mój ekspert twierdzi, że tak ciemne bywają rosnące na bagnie brzozy. Zdaniem „Tygodnika Ilustrowanego" to obraz „tak pełen uroku, że oczu od niego oderwać niepodobna prawie". Melancholia końca lata. Życie Maleckiego też malowało się w tamtym czasie w coraz ciemniejszych barwach. Biedującego artystę przygarnął burmistrz Szydłowca i pozwolił mu zamieszkać w ratuszowej wieży. Malecki portretował miasto, panoramy, ważne budynki. Wiodło mu się bardzo źle. Niewyobrażalnie źle. Umarł z głodu i wyczerpania w 1900 roku.

Zaczyna lać tak mocno, że nie widzę już drogi przed sobą. Przyklejam się do pobocza i mam nadzieję, że nie staranuje mnie jakiś zdezorientowany traktorzysta. Temperatura spada, szyby zaparowane od oddechu. Zrywa się wiatr i w ciągu minuty trąby apokalipsy milkną. Letnie ulewy na szczęście trwają krótko. W Strzyżynie widzę platformę na słupie, ale gospodarz tłumaczy, że konstrukcja czeka na bociany już od kilkunastu lat. Czasami chwilę postoją na górze, zlustrują okolicę, ale nic więcej. Może dlatego, że wykonana z plastikowego stolika platforma ugina się lekko pod ich ciężarem? Bociany raczej nie zbudują gniazda na tak chwiejnej podstawie. „Bocian jest lichym budowniczym, stawia gniazdo bez sztuki; ale za to jest ono mocne, trwałe, jak chłopska chałupa", pisał Mieczysław Brzeziński.

Za niecały miesiąc zaczną się sejmiki. Kiedyś wierzono, że bociany zbierają się w stada, by odbyć sąd nad ptakiem, który dopuścił się małżeńskiej zdrady. Drugim punktem obrad miał być egzamin z latania dla młodych ptaków. Pod koniec sierpnia bociany ruszają razem w drogę do Afryki. Jednego dnia pokonają kilkadziesiąt, innego nawet kilkaset kilometrów. Wszystko zależy od pogody – bocian przemieszcza się głównie lotem szybującym, potrzebuje więc ciepłych, wznoszących prądów powietrza. W ten sposób można lecieć tylko między dziesiątą a szesnastą (wtedy gdy ziemia jest odpowiednio nagrzana). Bociany spędzają na wędrówce prawie cztery miesiące w roku. Teraz, pod koniec lipca, młode nie są jeszcze gotowe ruszyć na zimowisko.

Co roku wraca ich mniej. Polska nie jest już najważniejszą bocianią ostoją, więcej ptaków zatrzymuje się w Hiszpanii. Na Opolszczyźnie w ciągu zaledwie dekady populacja spadła o czterdzieści procent. Powodów jest wiele: środki owadobójcze, monokultury, melioracja i zalesianie nieużytków. W mojej gminie i tak nie jest źle. Na samym jej skraju, we wsi Augustów, zostało tylko jedno gniazdo, a w nim samotny młody bocian. W czerwcu były dwa, ale przyleciały jakieś obce ptaki, wywiązała się bijatyka i jedno pisklę zginęło. Starszy facet leży na stercie desek i pyta z żalem: „Panie, czemu zawsze były, kurwa, trzy, cztery, a teraz tylko ten jeden?".

Dwie godziny światła

Jak się człowiek umawia w środku nocy, to trzy kwadranse obsuwy są murowane, ale my mamy na starcie już półtorej godziny spóźnienia. Spałem niecałą godzinę, ale ożywiają nas emocje i perspektywa egzotyki (w polskich ramach), więc całkiem sprawnie nadrabiamy stracony czas. Tylko ostatnie sto kilometrów idzie jakoś opornie. Tu papierosek przy zniszczonym modrzewiowym dworze, tam frytki w McDonaldzie i jeszcze zakupy. Na koniec trochę błądzenia przed samym celem. Na miejsce docieramy wczesnym popołudniem. W górach kupa śniegu, a my bez łańcuchów i linki holowniczej. Na razie koła lekko wchodzą w roztopioną białą kaszę, jak się ściemni, kasza zamieni się w szklankę.

Z gór suną ciężarówki załadowane dłużycą, bieszczadzkim świerkiem i bukiem. Dźwięki pracujących pił, tablice ostrzegawcze, głębokie koleiny po zsuwanych zboczem pniach. Na zakręcie współczesna baza ludzi umarłych z zaparkowanym zabytkowym uralem. Jechałem kiedyś takim potworem w ukraińskiej Czarnohorze, młody drwal wytapetował całą szoferkę naklejkami z tureckich gum do żucia. Śmierdziało benzyną i trzęsło jak w czołgu. Ciekawy zbieg okoliczności, bo jesteśmy tu właśnie z powodu innego urala – puszczyka uralskiego.

Często poluje za dnia, nocuje w najeżonych drzazgami bukowych złomach i dziuplach. Przy gnieździe bywa bardzo agresywny, bez wahania potrafi zaatakować człowieka. Obrączkarze wspinają się do sowiąt w hokejowych kaskach; pamiętam zdjęcia zalanych krwią, podziurawionych szponami pleców pewnego estońskiego ornitologa. „Przywiązanie do potomstwa wielkie okazują; po utracie jaj lub piskląt żałośnie wyją i na długie lata te niegościnne miejsca opuszczają", pisał Władysław Taczanowski w *Ptakach krajowych*. W pohukiwaniu urala, ciągnął, „mieszkańcy Syberyi [...] upatrują podobieństwo do wyrazu *szubu* i powiadają, że ptak ten, zbliżając się w jesieni do domostw, zaleca nieustannem przypominaniem, aby się zaopatrywano w ciepłą odzież na zimę".

Podobno wielka sowa lubi przesiadywać przy drodze, którą ciągną naczepy z drzewem. Znajomi zapaleńcy przez trzy dni patrolowali ją, jeżdżąc tam i z powrotem i prawie nie wysiadając z samochodu. Ładna droga, stare świerki od północnej strony przykryte czapami śniegu, ale już po dwóch godzinach znamy tu każde drzewo. Dwa razy nieostrożnie zjeżdżamy na pobocze, dwa razy wyciągają nas rozbawieni miejscowi. Ja chcę urala zobaczyć, M. sfotografować, ale nie po to jechaliśmy pięćset kilometrów, żeby przez okno gapić się w ścianę lasu.

Wędrówkę w górę zbocza rozpoczęli w późne grudniowe popołudnie 1994 roku. Jean-Marie Chauvet, archeolog ze speleologiczną żyłką, i dwójka jego znajomych – Éliette Brunel i Christian Hillaire. Już wcześniej uwagę badacza przykuło niewielkie pęknięcie w skale tuż obok uczęszczanego szlaku w dolinie Ardèche. Podmuch powietrza wydobywający się ze szczeliny nasuwał podejrzenie, że za kamiennym rumowiskiem znajduje się jaskinia. Trójka speleologów zabrała się do odsuwania głazów i wkrótce ich oczom ukazał się niewielki otwór, który doprowadził ich na skraj skalnego szybu. Zabrawszy z auta specjalistyczny sprzęt, zagłębili się w jaskinię.

Zobaczyli dwie olbrzymie sale, których ściany lśniły od osadzonych na nich minerałów. Z sufitu zwisały narosłe przez tysiące lat formacje z kalcytu i konkrecji, na ziemi leżały kości niedźwiedzi jaskiniowych i koziorożców. Na jednym ze stalaktytów Brunel dostrzegła niewielki namalowany ochrą wizerunek mamuta. Trójka znajomych zabrała się do dokładnego przeczesywania jaskini i wkrótce odkryła kolejne prehistoryczne dzieła sztuki. Rysunki przedstawiające wymarłe tysiące lat temu lwy i niedźwiedzie jaskiniowe, nosorożce włochate, ale także dzikie konie i żubry. Późniejsze badania wykazały, że malowidła należą do najstarszych w Europie i powstały około trzydziestu tysięcy lat przed naszą erą.

Jaskiniowi artyści byli mistrzami w swoim fachu, obrazy wskazują, że wielu z nich rozumiało i stosowało skrót perspektywiczny. Rysowane węglem walczące nosorożce przedstawione są w dynamicznych pozach. Studia końskich czy lwich profili – żywe i uderzająco realistyczne. Biegnące żubry mają zwielokrotnioną liczbę nóg – to rodzaj pierwotnej animacji sugerującej sekwencję ruchów. Może w słabym świetle pochodni zwierzęta ożywały przed oczami jaskiniowych ludzi? Malowidła odkryte przez Chauveta nie mają w sobie nic z prymitywizmu i nieporadności, o które można by posądzać paleolityczną sztukę.

Rano znowu jesteśmy na znajomej drodze, ale przyrzekamy sobie, że nie stracimy tak całego dnia. W modrzewiach buszują dwie ciekawskie orzechówki z długimi czarnymi dziobami. Tu, dość płochliwe, nie pozwalają się podejść, przy Morskim Oku ich pobratymcy bez żenady wskakują na schroniskowe stoły. Wychodzimy na małą polankę, w śniegu widać ślady, odciski skrzydeł i łap. Czy polował tu ural? Robię zdjęcie, może ktoś potwierdzi. Parka kruków przelatuje górą i jak na komendę synchronicznie ześlizguje się na złożonych skrzydłach. Jeden ptak ochryple kracze, drugi wydaje z siebie dźwięk, który przypomina stukanie patyka o rowerowe szprychy. „Klong, klong". W lesie przeskakuję przez koleinę i wpadam po kolana do ukrytej pod śniegiem kałuży. Woda wlewa mi się do butów od góry.

Wracamy na kwaterę, coś jemy, przebieram się i znowu jesteśmy na tej przeklętej drodze. Ostatni raz, przyrzekamy sobie; słońce traci moc, światło mięknie. Jedziemy wolno, a ja dostrzegam w gęstwinie odwróconego tyłem ptaka. Zdumiewające, jak wiele impulsów może przelecieć przez głowę w jednej chwili: widzę przez lornetkę brązowe pióra, natychmiast myślę: „Sowa" i niemal równocześnie odrzucam tę myśl. Nie, to nie ural. Ptak odwraca się profilem, to kura jarząbka, siedzi na lichych witkach wygiętego w pałąk drzewka. Patrzy niespokojnie, a kiedy M. wychodzi z aparatem, zapada gdzieś niżej, furkocząc. M. mówi, że słyszał już wcześniej jarząbkowe pogwizdywanie, które bardziej pasuje do jakiegoś małego wróblaka.

Po chwili głębokimi sinusoidami przecina nam drogę dzięcioł. W tak starym lesie z dużą ilością próchna to może być coś ciekawego. Zza gałęzi wygląda samica dzięcioła białogrzbietego z rozpoznawalnym kreskowaniem na piersi (już rano byłem niemal pewien, że słyszę ten charakterystyczny powolny werbel). Sytuacja się powtarza – M. wysiada ze swoim działem, a ptak błyskawicznie zrywa się i znika między drzewami. M. przeprasza, że go spłoszył, ale ja nie mam pretensji, widziałem dzięcioła tylko przez chwilę, za to wyraźnie i stosunkowo blisko. Fotograf potrzebuje więcej czasu, żeby nasycić się modelem. Rzadko zadowala się jednym ujęciem. Prawdopodobnie zdjęcia będzie robił dopóty, dopóki ptak na to pozwoli. M. nawet nie zdążył podnieść aparatu do oka.

Zostały dwie godziny światła (przejmuję język M.), ruszamy w wypatrzoną na mapie dolinę. Rzeka wyznacza tu granicę, gdzieś w oddali słychać szczekanie ukraińskiego psa. Za wodą biedne zielone chałupki tulą się zmarznięte do siebie. Śnieżne pole zalane jest różowawym światłem zachodzącego słońca. Kilkaset metrów od samochodu dostrzegam zastygłego w bezruchu lisa. Przygląda się nam z opuszczoną między czarnymi łapami głową. M. wysiada, ale lis szybko odwraca się pięknym, puszystym ogonem i kilkoma susami wskakuje w koleinę wyżłobioną przez skuter pograniczników. I pędzi w stronę Ukrainy. Zwierzęta często obserwują samochód z zaciekawieniem, po chwili zwykle wracają do swoich zajęć, ale kiedy wychodzą z niego ludzie, biorą nogi za pas.

W jednej z sal jaskini odkryto wizerunki wykonane inną techniką. Wapień w tej części groty pokryty jest warstwą gliny, a paleolityczny artysta potrafił korzystać także z tego tworzywa. Obok wydrapanych w ścianie mamutów i koni powstał pierwszy znany wizerunek ptaka. Warstwa gliny musiała być tu gruba i miękka, ponieważ rysunek wykonano palcem. Prehistoryczna sowa przedstawiona jest tyłem (co możemy poznać po zarysie złożonych skrzydeł), ale jej głowa z dwoma pędzelkami piór zwrócona jest do widza. Minimalizm rysunku dodaje mu tajemniczości.

Na oficjalnej stronie z informacjami o jaskini przeczytamy, że to portret uszatki. Ale ta delikatna, raczej leśna sowa nie bardzo pasuje do skalistego urwiska. Dlatego niektórzy specjaliści twierdzą, że prehistoryczny rysunek przedstawia puchacza. Oba gatunki mają pierzaste „uszy" na szczycie głowy, znacznie różnią się jednak wielkością. Autor oczywiście nie odwzorował ptaka bardzo dokładnie – podziwiał go zapewne ze sporej odległości. Na pewno jednak wiele pokoleń puchaczy przysiadało u wejścia do jaskini Chauveta.

Wizerunki sów znajdowano również w innych jaskiniach. Dlaczego akurat one tak interesowały naszych przodków? W pirenejskiej grocie Trois Frères możemy podziwiać wykonany blisko dwadzieścia tysięcy lat temu portret rodziny sów śnieżnych. Dorosły ptak i dwoje kurczakowatych piskląt wydrapanych na ścianie. Patrzą prosto na nas. Sowy zresztą najczęściej przedstawiane są przodem. Może dlatego, że ich wielkie oczy, podobnie jak nasze, skierowane są do przodu? Czy to one nadają spojrzeniu ptaka tę metafizyczną głębię? No i uderzająca jest również płaska sowia „twarz" z piór wokół dzioba i oczu – szlara. Sowy widziane z profilu nie robią już tak niepokojącego wrażenia.

Powoli wracamy i kiedy z dolinki strumienia wspinamy się na kolejne wzniesienie, w wierzbowych gałęziach miga mi potężny, niepowtarzalny kształt. Nigdy jeszcze nie widziałem urala, ale wystarczył mi ułamek sekundy, by nie mieć wątpliwości. „Stój", mówię najspokojniej, jak potrafię. Boję się, że nadmierna ekscytacja może się zakończyć w rowie, a tu, przy granicy, ruch jest minimalny i nikt nas już nie wyciągnie. „Co się stało?!" – pyta M. „Cofnij parę metrów, po twojej stronie na wierzbie siedzi ural" – wyjaśniam obojętnym głosem. Staczamy się z górki, sowa siedzi tyłem, ale odwraca do nas na moment swoją niesamowitą „twarz". Ural jest potężny, ma długi ogon i wydaje się dwa razy większy niż zwyczajny puszczyk. Po chwili patrzy z powrotem w stronę łąki i wraca do nasłuchiwania.

Ural potrafi usłyszeć ofiarę pod półmetrową warstwą śniegu. Jego wielka, pochylona z uwagą głowa wygląda dość komicznie. Zaczął znowu chwytać mróz i ciężki, nagrzany w słońcu śnieg na nowo pokrywa się warstwą chrupiącego lodowego lukru, który chrobocze pod nogami. Nie sposób zakraść się do ptaka. Sowa przesiada się na dalsze drzewo, może dźwięk migawki ją rozprasza? Skrzydłami uderza głęboko, a potem jak jastrząb sunie bezgłośnym ślizgiem nad łąką. Siada na stogu jak myszołów. M. robi kilka klatek, mimo że słońce schowało się już jakiś czas temu za górami. Zdjęcia wyglądają całkiem nieźle, chociaż ural na większości odwrócony jest do nas plecami. M. jest niezadowolony: „Gdybyśmy go spotkali dziesięć minut wcześniej!". Ja nie mam powodu do narzekań: dzięcioł, jarząbek, sowa – bardzo dobry wynik.

M. potrzebuje więcej czasu, dobrych warunków, ale i tak rzadko ma poczucie spełnienia. Przez resztę dnia rozpamiętuje straconą szansę. Gdy wracamy w zapadających ciemnościach, tuż przed wsią na wiotkim szkielecie osiki dostrzegamy masywną kulę z długim ogonem – kolejny ural. Na tle gasnącego horyzontu sylwetka odcina się wyraźnie. Już za ciemno na dobre zdjęcie. Ural odbija się od gałęzi i zapada gdzieś między nadrzecznymi drzewami. Jego szare pióra są zupełnie niewidoczne w mroku doliny.

Może to właśnie ze względu na szlarę, pierzastą „twarz" o skupionych rysach, przypisujemy sowie inteligencję? Była przecież symbolem bogini mądrości Ateny. Czy starożytnym Grekom chodziło o jakiś konkretny gatunek? Bo biolodzy na boskiego ptaka wytypowali pójdźkę, nadając jej łacińską nazwę *Athene noctua*. W rzeczywistości sowy nie wyróżniają się wybitną inteligencją ani szczególnym sprytem, a ich niezwykły wygląd to rezultat przystosowania do życia w ciemności. Ta duża głowa kryje pod warstwą piór zdumiewająco czułe uszy, a promieniście ułożone pióra szlary to coś na kształt zbierającej dźwięki anteny parabolicznej. Wielkie, mądre oczy wychwytują z otoczenia maksymalnie dużo światła, tak by umożliwić polowanie po zmroku.

Nazajutrz ważący kilogram ural siedzi na czubku świerka. Na samym niebezpiecznie wygiętym koniuszku. Piękny w promieniach nieśmiałego porannego słońca. Jasnoszare pióra z ciemnymi stosinami, kolista szlara i czarne jak u puszczyka oczy patrzą na nas sennie i obojętnie. M. wychyla się z samochodu, robi kilka klatek, ale sowa przelatuje kawałek dalej. M. patrzy w ekranik i znowu jest wściekły – stanął dwa metry za blisko, zdjęcie psuje mu pozioma gałązka na pierwszym planie, która przecina ptaka w pół. A światło jest idealne. Ale kto wie, gdybyśmy podjechali jeszcze dwa metry, może nie udałoby się nawet wyciągnąć aparatu?

Obserwatorzy ptaków mają często pretensje do fotografów. To odwieczny spór o etykę. Czy wolno podchodzić blisko, skoro ptak czuje się zagrożony? Niskie ceny i dostępność sprzętu sprawiły, że fotografem może się poczuć każdy, niezależnie od tego, czy naprawdę umie robić zdjęcia. Internet jest zawalony przeciętnymi fotografiami, których jedyną wartością jest to, że prezentują każdy detal ptasiego upierzenia. M. jest dobry technicznie, dokładnie wie, jaki efekt chce osiągnąć, i ma też coś, czego nie da się kupić – talent. Potrafi powstrzymać instynkt i przystanąć w sporej odległości, jeżeli uzna, że kolejny krok jest zbędny. Mimo to ptaki często uciekają, widząc wycelowane w siebie szkło.

Sowa siada na wierzbie i wraca do łowów. Ural poluje z zasiadki, nasłuchuje i spada w miejsce, z którego dobiega szmer, ale potrafi też wykonywać loty patrolowe jak błotniak. Na swoich długich, zaokrąglonych skrzydłach, z opuszczoną głową zatacza kółko nisko nad łąką. Kiedy zobaczy albo usłyszy ruch – atakuje, uderzając szponami w śnieg. Wjeżdżamy za szlaban ze znakiem stop, M. próbuje wykręcić, ale wpadamy przednim kołem do zasypanego śniegiem rowu. Walczymy pół godziny, auto stacza się coraz głębiej, ucieka nam najlepsze światło. Jest niedziela, drogą przy granicy przejechał dotychczas jeden samochód, musimy iść do wsi, jakieś dwa, trzy kilometry, może ktoś podjedzie traktorem.

Znowu mamy szczęście, zatrzymujemy miejscowego chłopaka w terenowym wozie. Na szyi dobra lornetka, też rozgląda się za ptakami. „Za szlaban nie wjeżdżajcie, bo wam mandat przypierdolą". Teraz jest sezon na rogacze, można wpaść na myśliwych, leśnicy nie są skorzy do żartów. Nissan chwilę tańczy po lodzie, ale wyrywa auto z rowu. Patrzę już teraz całkiem jak M. Słońce zamienia się w tępą żarówkę, przez jakieś dwie godziny będzie zbyt jasno, by robić zdjęcia. Ural siedzi na brzozie, a my w samochodzie. Pilnujemy, by nie zwiał, nie ma potrzeby go niepokoić. Widzimy, jak atakuje, schodzi niskim ślizgiem i miękko, ale z impetem uderza w śnieg. Siedzi chwilę na ziemi i podlatuje na drzewo. Spudłował.

Pohukiwanie sowy do dziś budzi w ludziach dreszcz niepokoju. Atawistyczny lęk przed tym, co czai się w mroku, skutecznie łączy nas z prehistorycznymi przodkami. W czerni nocy czeka bezszelestne stworzenie o demonicznym wyglądzie. Najdawniejsze przesądy przekonywały, że sowy są wysłannikami złych mocy. W folklorze słowiańskim postać puchacza przybierał leśny duch zwany na Białorusi lesawikiem, w Rosji leszym, a w Polsce borutą (który dopiero później został utożsamiony z chrześcijańskim diabłem). Swojska strzyga, czyli prześladujący żywych duch zmarłego, to językowe zapożyczenie z łacińskiego *strix*, które pochodzi od greckiego *strínx*. *Strix aluco* – to łacińska nazwa puszczyka.

Niedzielni fotografowie nie znają umiaru, biegają za ptakiem zupełnie bezmyślnie, nie dając mu chwili spokoju i przeszkadzając w szukaniu pożywienia. Kolejnym problemem są zdjęcia ptaków przy gniazdach, kiedy karmią młode albo wysiadują jaja. Jeżeli zajmuje się tym ktoś niezdarny i niedoświadczony, niepokojeni rodzice mogą w końcu porzucić potomstwo. Tego rodzaju fotografia wymaga bardzo wysokich kwalifikacji i dużej wiedzy. „Wbrew popularnemu porzekadłu cel NIE uświęca środków [...] *primum non nocere*", przypominał w swoim artykule o etyce ornitologicznej doktor Marek Keller. Nie należy jednak popadać w przesadę. Pstrykanie zdjęć bogatce przy skrzynce lęgowej w miejskim parku to nie to samo, co fotografowanie rzadkich, wrażliwych na obecność człowieka ptaków. Zdjęcia tych drugich powinni robić wyłącznie profesjonaliści.

W środowisku ptasiarskim każdy słyszał jakąś wersję historii o fotografach, którzy bez skrupułów robili zdjęcia kraskom przy dziuplach. Gatunek ten od dłuższego czasu walczy w Polsce o przetrwanie. Populacja jest bardzo niewielka. Naukowcy starają się utrzymać lokalizację gniazd w tajemnicy, ale nie zawsze się to udaje. Fotografowie opętani marzeniem o zdjęciu bajecznie ubarwionych ptaków rozstawiają sprzęt tuż przy dziuplach albo niszczą ich otoczenie, gdy gałęzie psują im kadr. Co się później dzieje z takim ujęciem? Przecież nie można go pokazać ot tak sobie. Żeby robić zdjęcia kraskom przy gnieździe, trzeba mieć stosowne zezwolenia (nie dostanie ich byle kto). Jaki jest pożytek z dzieł fotografa wandala? Oprawia je i wiesza w piwnicy jak miłośnik kradzionych dzieł sztuki? Napawa się urodą kraski w samotności albo w gronie zaufanych wspólników zbrodni?

Słyszałem historię o żywych kurach przywiązywanych za nogę do palika, tak by nie mogły uciec przed nadlatującym drapieżnikiem. Fotograf tylko czekał na doskonałe ujęcie wyciągających się po łup szponów. W 2013 roku Mazowsze odwiedziła sowa jarzębata, tundrowy gatunek, który rzadko pojawia się w Polsce. Ptak na dość długo zatrzymał się w jednym miejscu, ściągał więc publiczność z całego kraju. Posiadacze aparatów czaili się zwłaszcza na ujęcia polowania; kupowali w sklepach zoologicznych myszy i kusili nimi modela. Symbolem degeneracji obyczajów stała się wiadomość o tym, że jeden z fotografów przywiązał gryzonia do żyłki i za pomocą wędki wymachiwał nim pod nosem drapieżnika. Sowa cierpliwie znosiła zainteresowanie (ptaki z bezludnej Północy są widocznie bardziej wyrozumiałe), jedzenia miała więcej, niż potrzebowała, dlatego w końcu zaczęła składować myszy w rynnie pobliskiego domu. Wreszcie odleciała.

Nazwa małej sowy pójdźki pochodzi od jej złowróżbnego głosu, który tradycyjnie tłumaczono jako „pójdź, pójdź w dołek pod kościołek". Syczek z pierzastymi uszami na antwerpskiej wersji *Ukrzyżowania* Antonella da Messiny to właśnie zwiastun zbliżającej się śmierci. Siedzi u stóp cierpiącego Chrystusa i wykręconych w agonii łotrów i patrzy nieruchomo na widza. Sowa była też nieodłączną towarzyszką wiedźm i czarowników. Wierzono, że różne części jej ciała mają właściwości magiczne. Ze szponów sporządzano ochronne amulety, jajka miały leczyć z alkoholizmu albo dawać zdolność widzenia w nocy. A sowie serce położone na piersi śpiącej kobiety podobno zmuszało ją do wyjawienia sekretów.

Cienie się wydłużają, śnieg w zachodzącym słońcu pąsowieje. Ural czatuje w cieniu przy potoku, niemal zupełnie niewidoczny. Przysiadł po mojej stronie, więc z M. przepychamy się chwilę i zamieniamy miejscami. On wystawia swoją lufę przez okno, a ja prowadzę w piankowych kaloszach, w których prawie nie wyczuwam pedałów. Sowa siedzi na szczycie spróchniałego kikuta. Kilka zdjęć przez gałęzie, zsuwamy się niżej i M. krzyczy: „Stój!". Ale nie staję, bo choć wydaje mi się, że naciskam hamulec, to jedziemy dalej. Znowu zasłaniają nam drzewa. Sowa odlatuje. M. marudzi, że stracona szansa. „Ach, co by to było za zdjęcie!".

Podjeżdżamy kawałek, wbiegam na wzgórze, by spojrzeć na skraj lasu. M. woła z dołu: „Jest?!". „Nie!", odkrzykuję i w tym momencie dostrzegam napuszoną sylwetkę na świerku. Słońce chowa się za górą, promienie krwawo barwią jasny puch na sowim brzuchu. „Jest!", wołam. M. pędzi ze swoim pięciokilowym sprzętem i kiedy zrównuje się ze mną, nie może złapać tchu. Sowa przeleciała na inne drzewo, siedzi zwrócona w naszą stronę, widzę, jak ostatnie refleksy prześlizgują się po jej głowie. Wciąż jest jasno, M. zakrada się bliżej. Ural nic sobie z tego nie robi, spogląda gdzieś w dół i nasłuchuje. Patrzę przez lornetkę, jak raz po raz rzuca okiem na M. W końcu zlatuje na śnieg, porywa w szpony jakiś drobny kształt i znika.

Czas wracać do domu. Trzeba jeszcze zmienić mokre ubrania. Stoję właśnie z opuszczonymi spodniami, gdy kilkadziesiąt metrów od nas przelatuje kolejny ural. Ja czuję się już nasycony, widzieliśmy tu przynajmniej trzy ptaki, podziwialiśmy ich polowanie, lekki, pełen gracji lot. Słońce schowało się za górami, znowu jest zimno, ale M. zrywa się i biegnie ze statywem na łąkę. Obserwuję przez lornetkę, jak człowiek zakrada się przygarbiony, a sowa siedzi na paliku odwrócona tyłem. M. trawersuje po nachylonej łące. Wiem, że właśnie kombinuje, jakie wybrać tło. Tymczasem ptak przelatuje nisko nad ściętą lodową skorupą. Śnieg już nie chrzęści pod butami, tylko pęka z trzaskiem. Stoję na drodze i widzę, jak ural zajęty sobą i swoim żołądkiem przesiada się z palika na palik. Krąży. Jest piękny i potężny. M. wraca dopiero, kiedy jedyną pozostałością dnia jest nikła, żółta poświata na horyzoncie. Jest zadowolony.

Wszystko, co żyło w mroku, było nieczyste. Demoniczny zdawał się również lelek, nocny ptak przypominający sylwetką ni to małego sokoła, ni to kukułkę. W XVIII wieku angielski uczony Gilbert White zanotował ludowy przesąd, jakoby lelki przecinały skórę bydła i składały pod nią jaja much. W całej Europie spotykamy wierzenie, że ptak kradnie mleko z wymion pasących się krów i kóz. W Polsce nosi przecież przydomek „kozodój", po łacinie tak samo – *Caprimulgus*. Lelki rzeczywiście pojawiały się na pastwiskach, ponieważ polowały w locie na towarzyszące zwierzętom gospodarskim owady. Kozodoje mają niewielkie dzioby, które – ze względu na sposób łowów – mogą jednak bardzo szeroko otwierać. Hieronim Bosch nadał jednemu ze swoich potworów rysy tego ptaka. W poświęconej piekłu części *Ogrodu rozkoszy ziemskich* widzimy pół człowieka, pół lelka, który pożera i wydala ludzkie postaci.

Dobry fotograf ma nieskończoną cierpliwość. Zawsze imponowały mi opowieści o wielogodzinnym przesiadywaniu w czatowni czy pod siatką maskującą. O sikaniu do butelki, drętwiejących nogach, zmarzniętych palcach. W piśmie „Ptaki Polski" Artur Tabor, jeden z najlepszych polskich fotografów przyrody, opisał, jak udało mu się zrobić zdjęcie puchacza w ciągu dnia. Jego kolega znalazł gniazdo ptaka i zbudował kryjówkę, ale musiał pilnie wyjechać. Zaoferował Taborowi możliwość robienia zdjęć pod jednym warunkiem – miał nie wychodzić z czatowni przez cztery dni. Ruch mógł spłoszyć puchacza, który siedział w gnieździe z młodymi.

Pierwszej nocy rozpętała się burza, brezentowy dach kryjówki napełnił się wodą, a ta, ściekając po głowie fotografa, wlewała mu się za kołnierz i zbierała pod tyłkiem na dmuchanej poduszce, z której uszło powietrze. „Włączyłem na moment kamerę na podczerwień i zobaczyłem samicę – osłaniała swoim ciałem pisklęta, woda spływała jej po dziobie i skrzydłach. Kiedy grzmiało i błyskało, zamykała oczy i kurczyła się ze strachu. Rano puchacze były tak mokre i sponiewierane przez deszcz, że wyglądały jak siedem nieszczęść. Zdjęć nie mogłem robić, ponieważ obiektyw zaparował i musiałem czekać, aż będzie się nadawał do użytku. [...] Kolejna noc była okrutnie zimna, był nawet mały przymrozek, poczułem go szczególnie dotkliwie w tylnej części ciała, bo cały czas siedziałem w mokrym fotelu. Rano już nic nie czułem".

O świcie samica poleciała zapolować, dopiero teraz pojawiła się szansa na wymarzone zdjęcie. Po paru godzinach ptak wraca: „Powoli zerkam do aparatu i to, co widzę, jest nagrodą za wszystkie cierpienia. W całym kadrze mam stojącą samicę – patrzy w moją stronę, jest wspaniała. Ostrożnie ustawiam ostrość i robię pierwsze zdjęcie. Jest! Po paru ujęciach samica wchodzi do gniazda i zasiada na pisklętach". Po kilku dniach wraca właściciel kryjówki i uwalnia wreszcie fotografa. „Na nowo uczyłem się chodzić. Tak długo siedziałem w jednej pozycji, z nogami unieruchomionymi w bagnie, że teraz odmówiły mi posłuszeństwa. [...] Odmrożony tyłek był jak deska, przez miesiąc nie miałem w nim czucia. Ale sfotografowałem puchacza w dzień. Dla kogoś, kto nie zna tej historii, są to zwyczajne zdjęcia, a dla mnie – zdjęcia życia".

Rzeczywiście, sam kadr mnie nie zachwycił. Ot, ładne zdjęcie, które nabiera smaku dopiero z przypisami autora. Uwielbiam tę historię za jej wymiar heroiczny i etyczny. Stuprocentowy profesjonalista ryzykuje własne zdrowie, bo komfort zwierzęcia (!) jest dla niego najważniejszy. I jeszcze ten pełen empatii opis samicy osłaniającej młode przed deszczem. Smutnym postscriptum do tej opowieści niech będzie informacja, że Artur Tabor zginął, robiąc to, co najbardziej kochał. Tragicznemu wypadkowi uległ, fotografując ptaki w Mongolii.

Opowiadam tę historię, by zwrócić uwagę na coś jeszcze. Fotografia wymaga skupienia, precyzji i cierpliwości. Żeby zrobić dobre zdjęcie, trzeba spędzić z ptakiem wiele czasu (nie mówię tu o jednym, przypadkowo udanym ujęciu). Choćby z tego powodu, jak mi się wydaje, fotografowie obserwujący ptaki o wiele lepiej niż wielu ornitologów znają ich zachowanie. M. zawstydził mnie kiedyś podczas wspólnego wyjazdu do Puszczy Knyszyńskiej, gdzie chcieliśmy obejrzeć sóweczkę. Wyruszyliśmy w większej grupie, fotografów było tylko dwóch. Kolega pokazał nam sowę w sosnowym lesie zaledwie kilka kilometrów od tabliczki z napisem „Białystok". Ptak przelatywał dość wysoko między koronami sosen. Ptasiarze, którzy widzieli tę malutką sowę po raz pierwszy, popatrzyli na nią przez chwilę (trwało to może dziesięć minut) i uznali, że są gotowi na nowe emocje.

Propozycję, by poszukać drugiej sóweczki, której terytorium łowieckie było oddalone o jakiś kilometr, przyjęto bez entuzjazmu. Szliśmy z ociąganiem. Las obniżył się, weszliśmy w bagno. Ptak przyleciał niemal natychmiast. Ten osobnik był zupełnie niepłochliwy, siedział tuż nad naszymi głowami, ale byliśmy zbyt zaaferowani poszukiwaniem go w koronach drzew. Zorientowaliśmy się, dopiero gdy odlatywał. Fotografowie chcieli tam zostać, ale grupa nalegała, żeby coś zjeść, znaleźć kwaterę i zajrzeć w inne miejsca – obserwatorzy już się napatrzyli. M. był niepocieszony. Jechaliśmy dwieście kilometrów, żeby spojrzeć na sóweczkę i odhaczyć ją sobie na liście życiowej? Kto tu jest wrażliwszy – fotograf, który bywa obcesowy, czasem płoszy ptaki, ale potrafi podziwiać je godzinami, czy obserwator, który zachowuje bezpieczny dystans, ale do szczęścia wystarczy mu rzut oka?

Koniec świata nad Kinkeimer See

W bartoszyckim urzędzie powiatowym niełatwo znaleźć informacje o F. Tischlerze. Ale i ja wiem niewiele. Znam jedynie inicjał imienia, nazwisko i wiem, że w 1941 roku obserwował w tych stronach ptaki. Jan Sokołowski wspomina o nim w swoich *Ptakach ziem polskich*. Był jednak pan F. profesjonalnym przyrodnikiem czy jedynie zapalonym amatorem? Leśnikiem? Może myśliwym? W tamtych czasach przyrodę obserwowało się często ze śrutówką albo sztucerem w ręku. Mieszkał w tych stronach? A może trafił tu tylko przejazdem?

W Prusach Wschodnich można było wówczas niemal zapomnieć, że trwa najbardziej wyniszczająca wojna w dziejach ludzkości. Okolice Bartenstein, od wieków pod niemieckim panowaniem, nie musiały się zmagać z uciążliwymi partyzantami. Mieszkańcy wysyłali co prawda obowiązkowy kontyngent rekrutów i czasem nie mogli dostać niektórych towarów, ale co roku bez przeszkód zbierali plony, a ich spokoju nie burzyły dudnienie artyleryjskich dział ani pomruk samolotowych silników.

Dokumenty urzędowe dotyczące mieszkańców tych terenów zniknęły podobno jeszcze w latach czterdziestych. Zniszczone? Wywiezione? W Lidzbarku Warmińskim żołnierze Armii Czerwonej palili stosy niemieckich książek i spopielałe kartki wrzucali do Łyny. W urzędzie dostaję jedynie numer telefonu do leśniczego z Mint; podobno jest na urlopie, ale może wie coś o tajemniczym ornitologu. Rzeczywiście, pan Paweł Ulaniuk przypomina sobie niewielki pomnik gdzieś w okolicznych lasach, tam jest coś o Tischlerze. Radzi odwiedzić nadleśnictwo.

I znowu dobry trop – zastępca nadleśniczego Antoni Stecki pokazuje mi zdjęcie kamienia z tablicą pamiątkową i tłumaczy, jak do niej dojechać. „Pamięci wybitnego ornitologa i przyrodnika Dr. h.c. Friedricha Tischlera, 2.6.1881–29.1.1945 i jego żony Rose Tischler z d. Kowalski, 31.5.1884–29.1.1945. Ornitolodzy z Polski i Niemiec". W dwóch językach, po polsku i niemiecku. A więc jednak – przyrodnik, żona o polskim nazwisku i ta sama zagadkowa data śmierci. Dużo informacji i jeszcze więcej pytań.

Do Lusin dojeżdża się koszmarną, szczerbatą trylinką. Budynki po pegeerze, zaniedbane czworaki, a w nich mieszkania komunalne dla najbardziej beznadziejnych przypadków z Bartoszyc. Latem zielsko podobno włazi przez okna. Poza tym lipowa aleja prowadząca do dawnego pałacyku Tischlerów i parę murowanych domów pamiętających lepsze czasy. Po rozwiązaniu pegeeru zostali tylko ci, którzy z różnych powodów nie mogli opuścić tego zapomnianego miejsca.

Pani Majkowska nie chciała zostawić rodziców, chociaż miała już przydział do bloku w pobliskich Kinkajmach. Teraz do najbliższego sklepu jeździ kilka kilometrów na rowerze. O Tischlerach wiele powiedzieć nie może; rodzice osiedlili się tu w latach pięćdziesiątych. Znała ich na pewno Brygida, która żyła z dyrektorem pegeeru, ale jak niemal wszyscy Mazurzy wyjechała w końcu do Niemiec. Pani Majkowska pamięta tylko grobowiec, który stał tam, gdzie dziś tablica. I pamięta jeszcze coś, o czym wolałaby zapomnieć – pracujący w gospodarstwie żołnierze po jakiejś pijatyce wywlekli z trumien zasuszone ciała i zostawili je na drodze.

Na parterze pałacyku w Lusinach mieścił się sklep. W piętrowym budynku mieszkało kilka rodzin, ale gmach z biegiem lat pustoszał i popadał w coraz większą ruinę. Od całkowitej katastrofy uratował go miejscowy potentat, który postanowił się w nim osiedlić. Remont ciągnie się już od kilku lat, podobno nowy właściciel nie może się dogadać z konserwatorem zabytków. Teren jest ogrodzony. Pałacyk to dość okazały, ale niezbyt fantazyjny budynek z nowym dachem i odrapaną fasadą. Właściciel urzęduje w pobliskich Sędławkach.

– Spotkanie z panem prezesem jest niemożliwe – kiedy pan Stanisław mówi o szefie, pochyla z szacunkiem głowę i zamyka oczy.

Oddany pracownik pochodzi z tych stron, pamięta, jak z innymi chłopcami zakradali się do grobowca rodziny Tischlerów popatrzeć na wyłożone dębowymi wiórami trumny (tak konserwowano zwłoki w tych stronach) i stare, zasuszone trupy. Pamięta odciętą głowę walającą się gdzieś w krzakach. Grobowiec rozebrano mniej więcej w połowie lat siedemdziesiątych; co stało się z ciałami, nie wie. A w pałacyku „nie ma nic do oglądania". Po wojnie przez jakiś czas mieszkał tam mąż jednej z pracownic, Mazur. Może on coś powie?

Gerard Kaldyński urodził się na terenie dzisiejszego obwodu kaliningradzkiego. Patrzy na mnie niepewnie, nie bardzo rozumie, dlaczego się nim interesuję. Jego starszy brat Arno wiele lat temu wyjechał do Niemiec, spośród dawnych mieszkańców został tylko on. Z pałacyku Tischlerów pamięta niewiele, był wtedy bardzo mały. Ale nawet te okruchy, które zachował we wspomnieniach, budzą poważne wątpliwości. Pan Gerard twierdzi, że po dawnych właścicielach zostały w pokojach pianino i zegar. Tak wartościowe sprzęty przetrwały przemarsz Armii Czerwonej?

Wspinam się po drzwiach opartych o dziurawe schody i jestem w domu Friedricha i Rose. W przedpokoju przeszklona witryna, która osłania spróchniałe stopnie. Ściany odarte z tynku, stan zupełnie surowy, gdyby nie pozostałości ładnej boazerii przy oknach – nowy właściciel postanowił ją oszczędzić. Przed pałacem od strony lipowej alei, tam gdzie teraz leżą kupy piachu i gruz, na pewno był jakiś klomb, może drzewo ocieniające dom. Wchodzę na piętro ostrożnie, by nie spłoszyć kowalika, który dłubie w nowych belkach stropowych. Pusto. Przy wyjściu leżą stare butelki. Biorę najmniejszą.

Odwiedzam Mariana Szymkiewicza, dyrektora Muzeum Przyrodniczego w Olsztynie, jednego z pomysłodawców skromnego lusińskiego pomniczka. Słoneczny dzień, z dachu spadają z łoskotem wielkie płaty śniegu. Niespodziewany prezent – dostaję od pana Mariana dwie prace o Tischlerze. Niemiecki artykuł Christopha Hinkelmanna i numer wydawanego przez muzeum pisma „Natura. Przyroda Warmii i Mazur". W gazecie tekst Eugeniusza Nowaka pod tytułem *Friedrich Tischler (1881–1945) – wybitny ornitolog Prus Wschodnich*.

„Kilka lat mojego żywota spędziłem na Mazurach, gdzie kierowałem małą stacją badawczą. Do moich zadań należały m.in. badania nad ptakami, co zbliżyło mnie do dawno zmarłego już człowieka, który dzięki publikacjom naukowym zostawionym po sobie stał się moim najważniejszym doradcą i pomocnikiem. Mój szczególny stosunek do osoby

Friedricha Tischlera ma bardzo osobisty charakter, gdyż to ja byłem pierwszym przyrodnikiem, który odnalazł jego grób" – pisze we wstępie Nowak.

Pruskie ziemiaństwo było ostoją konserwatywnych wartości. Światopogląd Tischlerów, mających w tym środowisku opinię liberałów, ukształtowała prawdopodobnie rodzinna trauma. Ich przodkowie, pobożni kalwini, przybyli do Prus z Salzburga, uciekając przed prześladowaniami religijnymi. Osiedli w tych stronach na początku XIX wieku, a rodowym gniazdem stały się Lusiny (Losgehnen).

Życiową pasją Friedricha nie była jednak z pewnością polityka, dorastał pod wpływem domowego nauczyciela, zapalonego myśliwego Carla Borowskiego. Od najmłodszych lat zbierał rośliny do herbarium i pracowicie przyszpilał owady w gablotkach. Prowadził *Vogelbuch*, dziennik, w którym notował obserwacje dotyczące ptasich zwyczajów, zachowań i głosów. Polował, a ustrzelone ptaki preparował. Pierwszym trofeum w jego kolekcji był dzięcioł czarny.

Tischlerowie kładli duży nacisk na wykształcenie dzieci, rodzina wydała kilku uznanych naukowców. Nic dziwnego, że w bartoszyckim liceum Friedrich był prymusem, a słabe stopnie zbierał jedynie z gimnastyki. Pomimo zainteresowań przyrodniczych zdecydował się na bardziej pewne, praktyczne wykształcenie prawnicze. Nie zamierzał jednak porzucić pasji. W 1905 roku opublikował pierwszy artykuł naukowy poświęcony stadom szpaków. Rok później ukazał się jego tekst o ptakach znad Jeziora Kinkajmskiego, którego brzeg znajduje się kilkaset metrów od lusińskiego pałacu. Po ukończeniu studiów Tischler zabiegał o pracę w rodzinnych stronach, chciał dalej badać okoliczną przyrodę.

W 1908 roku otrzymał stanowisko radcy w lidzbarskim sądzie. Późniejsze propozycje awansu, powiązanego z przeniesieniem do większego miasta, odrzucał. Z Lidzbarka do Lusin miał zaledwie kilkadziesiąt kilometrów i spędzał tam wszystkie wolne dni. Nie był raczej typem obieżyświata, na urlop jeździł zawsze do Stacji Ornitologicznej Rossitten (obecnie Rybaczij) na Mierzei Kurońskiej. W 1914 roku ukazała się jego pierwsza książka *Ptaki prowincji Prusy Wschodnie*. Zebrała dobre recenzje. Tischler w przedmowie zachęcał ornitologów do współpracy i nadsyłania obserwacji.

Tymczasem w Europie trwała wojna. Największa, najtragiczniejsza, najokrutniejsza w oczach jej współczesnych. Z dzisiejszej perspektywy – zaledwie przygrywka do wydarzeń, które miały się rozegrać dwie dekady później. Ale zabijanie nigdy nie wydawało się prostsze – żołnierze dusili się gazem musztardowym, płonęli w płomieniach miotaczy ognia, rozrywały ich na strzępy bomby i pociski czołgowe. Tysiące umierały w szpitalach na dyzenterię i tyfus.

Z opublikowanego w 1918 roku artykułu o gołębiu siniaku trudno wydedukować, czy Tischler bardzo przeżył klęskę Prus. Czy podobnie jak większość jego rodaków uważał traktat wersalski za niesprawiedliwość i upokorzenie? Z pewnością nie ulegał narodowym sentymentom w kwestiach naukowych. Przygotowując swoje *opus magnum*, dwutomowe *Ptaki Prus Wschodnich i obszarów sąsiednich*, powołuje się na obserwacje Włodzimierza Puchalskiego, polskiego przyrodnika, fotografa, filmowca, autora pojęcia „bezkrwawych łowów".

Ptaki Prus Wschodnich i obszarów sąsiednich ukazały się w 1941 roku i zostały entuzjastycznie przyjęte przez środowisko ornitologów. Na skromnego urzędnika z prowincjonalnego Lidzbarka posypały się zaszczyty: tytuł doktora *honoris causa*

Uniwersytetu Królewieckiego, włączenie w poczet członków naukowych Towarzystwa Postępu Naukowego imienia Cesarza Wilhelma (dzisiejsze Towarzystwo Maxa Plancka). Publikacja zainteresowała jednak nie tylko naukowców.

W 1942 roku ornitolog spędził tydzień w Puszczy Białowieskiej, oczku w głowie łowczego Rzeszy i dowódcy Luftwaffe Hermanna Göringa. Tischler pisał w listach, że pobyt „ma w sobie coś z romantyki Karola Maya, co niemiecka służba leśna znosi z humorem". Jeżeli dobrze rozumiem: hitlerowcy jako kowboje, mieszkańcy tych stron jako czerwonoskórzy. Czy przynajmniej jest w tym porównaniu miejsce dla szlachetnego Winnetou? „Odizolowano go od rzeczywistości i wolno mu było obserwować tylko ptaki" – pisze Nowak, ale wydaje się, że Tischler rzeczywistości przesadnie nie szukał.

Dręczy mnie stosunek Tischlera do nazizmu. W 1933 roku Hitler przejmuje władzę, a my wiemy jedynie, że ornitolog bada wówczas występowanie w Prusach tundrowego podgatunku sieweczki obrożnej. Pytam Eugeniusza Nowaka, czy jego zdaniem Tischler mógł być nazistą. „Uważał się za niemieckiego patriotę, ale nigdy nie dał powodu, by uznać go za szowinistę". Zaświadczał o tym również blisko z nim związany bratanek – wybitny ekolog, profesor na uniwersytecie w Kilonii Wolfgang Tischler. Z całą pewnością ornitolog nie zapisał się do NSDAP (nie figuruje w kartotece członków). Był raczej politycznie naiwny. Typ introwertycznego badacza całkowicie oddanego swojej pasji.

Eugeniusz Nowak w swojej książce *Ludzie nauki w czasach najtrudniejszych* opowiada o życiu przyrodników, głównie ornitologów, których na różne sposoby dotknęły XX-wieczne totalitaryzmy. W większości apolityczni szukali w nauce azylu, ucieczki przed brutalną rzeczywistością. Nie wszystkim się udało. Niektórym historia przydzieliła role ofiar, innym – oprawców lub ich wspólników. Najbardziej uderzająca jest jednak poświadczona kolejnymi życiorysami głęboka, ponadnarodowa, ponadideologiczna więź i braterstwo łączące naukowców w wojennych warunkach.

Trudniej potępić profesora Erwina Stresemanna, którego wprawdzie rozpierała duma, kiedy czytał o militarnych sukcesach III Rzeszy, ale który jednocześnie nie zapominał o przyjaciołach uwięzionych w obozach jenieckich. Angielskim oficerom Johnowi Buxtonowi i George'owi Waterstonowi wysyłał artykuły ornitologiczne i obrączki do badań nad żyjącymi w lagrze jaskółkami. Ale z kolei jego przyjaciel Günther Niethammer, jeden z najwybitniejszych niemieckich ornitologów, nie najgorzej odnalazł się w roli oprawcy. Wstąpił do Waffen SS i pełnił służbę wartowniczą w Auschwitz. Brzmi to jak ponury żart, ale i tam, w fabryce śmierci, znalazł czas na ptaki.

W 1942 roku ukazała się jego praca *Obserwacje nad ptakami Auschwitz*. Chwalił się w liście do Stresemanna, że jest w obozie „swego rodzaju łowczym": jeździ na rowerze ze strzelbą i poluje na zwierzynę (miał specjalne pozwolenie na prowadzenie odstrzałów). Eugeniusz Nowak pod koniec lat sześćdziesiątych rozmawiał z doktorem Andrzejem Zaorskim, który tuż po wojnie ratował pozostałych przy życiu więźniów Auschwitz. Lekarza zdumiały liczne budki dla ptaków na terenie osiedla zamieszkanego przez personel obozu. W kasie pancernej komendanta znalazł artykuł Niethammera o ptakach Auschwitz z dedykacją dla Rudolfa Hössa. Zachowało się wprawdzie kilka relacji o tym, że naukowiec głęboko przeżył pobyt w Auschwitz, ale reputacji „obozowego łowczego" nie poprawiły powojenne próby tuszowania tych niechlubnych kart z życiorysu.

Ideologii narodowosocjalistycznej dał się też uwieść późniejszy laureat Nagrody Nobla Konrad Lorenz. Urodzony gawędziarz, autor uroczych książek o gęsiach i krukach, w wojennym Poznaniu współpracował przy badaniach mających dowieść wyższości rasy aryjskiej. Z biegiem czasu pojął zbrodniczość systemu, któremu służył. Z późniejszych deklaracji i rozmów z Eugeniuszem Nowakiem można wnioskować, że to nawrócenie było szczere.

W książce jest również rozdział o Friedrichu Tischlerze.

Buxtonowi i Waterstonowi oraz ich kolegom Johnowi Barrettowi i Peterowi Conderowi obrączkującym ptaki w obozie jenieckim poświęcona jest także bardzo zabawna i bardzo brytyjska książka *Birds in a Cage* Dereka Niemanna. Autor opowiada w niej o perypetiach czterech oficerów ornitologów, którzy uznali, że uwięzienie to jeszcze nie powód, by przestać prowadzić badania naukowe. Wojna wojną, ale ptaki można przecież obserwować zawsze. Książkę otwiera cytat z przyrodnika A. W. Boyda, który we wrześniu 1939 roku napisał w swoim cotygodniowym felietonie: „Nie mogę powstrzymać się od refleksji, że gdyby Hitler był ornitologiem, przełożyłby wybuch wojny do czasu zakończenia jesiennej migracji ptaków".

Anglicy prowadzili obserwacje z niemal chorobliwą metodycznością. Buxton wysłany z misją specjalną w norweskie fiordy notował wczesny przelot dymówki, a Waterston, który miał bronić lotniska w Maleme na Krecie, zapisał w zeszycie dzierzbę rudogłową. Niewola zmieniła niewiele. Więźniowie narzekali jedynie na ograniczenia w poruszaniu się po terenie (płot!) i na to, że do kontroli gniazd wewnątrz obozu nie mogą po prostu pożyczyć drabiny. Badali zwyczaje lęgowe pospolitych ptaków, zadzierali głowy nad drut kolczasty i pieczołowicie odnotowywali natężenie jesiennego przelotu.

Wszyscy czterej przeżyli wojnę. John Buxton jeszcze w obozie rozpoczął obserwację zwyczajów pleszki, ptaka, któremu poświęcił później książkę *The Redstart*, uważaną za arcydzieło literatury przyrodniczej. George Waterston stworzył ośrodek badawczy na Fair Isle i popularyzował turystykę przyrodniczą. John Barrett napisał najpoczytniejszy przez dziesięciolecia przewodnik po gatunkach ptaków morskich. Peter Conder został przewodniczącym Królewskiego Towarzystwa Ochrony Ptaków, które przekształcił w potężną organizację liczącą setki tysięcy członków.

Lusiny, rok przed wojną. Friedrich Tischler stoi oparty plecami o wejście na obszerną werandę. W głębi wiklinowy fotel. Mężczyzna patrzy w obiektyw, ma surowe rysy i zmrużone powieki. Nic dziwnego, słońce świeci mu prosto w twarz. Może dlatego wydaje się trochę zniecierpliwiony? A może ktoś oderwał go od pracy? Na to wskazywałaby niedopięta drelichowa kurtka. Pod nią ma białą koszulę ze stójką; jest raczej szczupły, łysy, a w drucianych okularach wygląda jak pastor. Na szyi wisi lornetka. To prawdopodobnie Zeiss 8 × 30, doskonały do obserwacji w lesie.

Zima 1944–1945. Losy wojny są już przesądzone. Nie ma ratunku dla Tysiącletniej Rzeszy. Bardziej zapobiegliwi mieszkańcy Prus nie czekają, aż czerwonoarmiści zapukają do ich drzwi. Pakują dobytek i uciekają na zachód. Tymczasem Friedrich Tischler melancholijnie przechadza się po swoich włościach. Co jakiś czas przystaje, podnosi lornetkę do oczu i notuje. Jemiołuszki, krzyżodzioby, jery. Przelotne stada rzepołuchów przysiadają na polach. O każdej porze roku są ciekawe ptaki do podglądania.

W mijającym roku opublikował tylko dwa artykuły: o białorzytce rdzawej na Łotwie i o pierwszym stwierdzeniu dzięcioła trójpalczastego w Prusach Wschodnich. Tischlera nie obchodzi sytuacja na froncie, być może uważa, że te sprawy go nie dotyczą. Pracuje nad trzecim tomem *Ptaków Prus Wschodnich i obszarów sąsiednich*, nie zdając sobie sprawy, że za chwilę Prusy Wschodnie przejdą do historii. W połowie stycznia 1945 roku pisze do bratanka Wolfganga Tischlera: „Nam powodzi się tu dobrze, ze spokojem czekamy na nową [niemiecką] ofensywę".

Jak bardzo był naiwny! Eugeniusz Nowak sądzi, że ornitolog mógł ulec nasilonej propagandzie gauleitera tych ziem Ericha Kocha. Nie mieściło się chyba Tischlerowi w głowie, że Niemcy przegrają i że wojna nie ominie nawet jego lusińskiej ojczyzny. Ale niespełna dwa tygodnie później Armia Czerwona jest już o dwa kroki stąd. Do Tischlera próbuje jeszcze dotrzeć warmiński przyrodnik Walter von Sanden uciekający na rowerze z rodzinnego majątku w Gui, ale drogę przecina mu linia frontu.

23 stycznia 1945 roku Friedrich Tischler wysyła do rodziny w Kilonii kartkę pocztową. Informuje, że w momencie wkroczenia do rodzinnej wsi Armii Czerwonej popełni z żoną samobójstwo. Kartka może się później przydać w sprawach spadkowych. W ostatniej chwili do ucieczki próbuje go jeszcze namówić niejaki Mithalter z Mackow. Tischler dziękuje mu za troskę, ale odmawia. Stoi na progu werandy z lornetką w dłoni i obserwuje ptaki schowane w konarach drzew. Na co patrzy pod koniec stycznia 1945 roku? Może na kowaliki, które i dziś gwiżdżą w lipowej alei prowadzącej do pałacyku?

Okoliczności śmierci Tischlera i jego żony bratanek Wolfgang poznał dzięki opowieści ich woźnicy Karola Hartwiga. Truciznę dostarczył do Lusin zaprzyjaźniony lekarz.

Hartwigowi polecono wykopanie mogiły, nie chcieli najwyraźniej spocząć w rodzinnym grobie. Nowak zakłada, że małżeństwo popełniło samobójstwo wieczorem 29 stycznia, Hinkelmann twierdzi, że raczej 31 stycznia. Rose upadła u stóp grobowca Tischlerów, Friedrich na skraju wykopanego dołu. Czy tak drastyczny krok był konieczny? Gdy Eugeniusz Nowak spotkał się w 1962 roku z miejscową Mazurką, która widziała wkraczającą do wsi Armię Czerwoną, usłyszał, że żołnierze nie oszczędzili nikogo. Wszyscy mężczyźni bez względu na wiek zostali rozstrzelani, a ich „rozrzucone trupy leżały w śniegu jeszcze przez kilka dni".

Lusiny. Starszy mężczyzna siedzi przed domem i opowiada, że rok temu byli tu jacyś Niemcy. Interesowali się grobami nad pałacowym stawkiem. Co to za groby? Nie potrafi powiedzieć, a ja nie przypominam sobie w otoczeniu pałacu niczego, co wyglądałoby jak cmentarz. Sam „stawek" to raczej zawalona gruzem kałuża, która nie wyschła po wiosennych deszczach. Może pochowano tu miejscowych rozstrzelanych w styczniu 1945 roku?

Jeśli się dobrze przyjrzeć, to z okna posiadłości Tischlerów widać stojący na pobliskim wzgórzu dworek w Glitajnach. Jego właściciel Georg Borrmann uciekł przed Armią Czerwoną nocą z 28 na 29 stycznia 1945 roku. Nie wiemy, czy skontaktował się z sąsiadami. Miejscowości dzieli wąska, podmokła dolinka. Dworek w Glitajnach zachował się w niezłym stanie – ocalały ładne sztukaterie w kształcie liści laurowych. Siedziba Tischlerów była znacznie mniej okazała. Spotykam miejscowego pszczelarza, który po wojnie przez jakiś czas mieszkał tam razem z rodziną. „Panie! Tam życie tętniało", mówi.

Eugeniusz Nowak pisze w mailu, że kiedy odwiedził Lusiny w latach sześćdziesiątych, widział wysuszone ciało któregoś ze starych Tischlerów wywleczone z grobowca. Razem z pracownikiem pegeeru i dwoma Mazurami złożył je ponownie do trumny. Zdruzgotany profanacją nigdy tego zdarzenia nie opisał. Udał się jednak w tej sprawie do kierownika Wydziału Spraw Wewnętrznych WRN w Olsztynie. Urzędnik przyznał, że „nie jest to pierwszy taki przypadek", i obaj doszli do wniosku, że najlepiej byłoby ciała pochować w ziemi, a grobowiec jako miejsce narażone na ataki miejscowych wandali rozebrać.

Według moich ustaleń budowla stała w lusińskim lesie jeszcze przynajmniej dekadę. Do dziś wiosną, kiedy roślinność nie jest zbyt wysoka, widać w poszyciu zarys fundamentów. Gdzieniegdzie walają się resztki czerwonych dachówek. W latach sześćdziesiątych można tu było dostrzec jeszcze garb mogiły, do której prawdopodobnie złożono ciała Friedricha i Rose. Później grobek małżeństwa Tischlerów pochłonął las. Staraniem Eugeniusza Nowaka i Mariana Szymkiewicza niewielki głaz z wmurowaną tablicą pamiątkową ustawiono tam pod koniec lat dziewięćdziesiątych.

Nad Jeziorem Kinkajmskim, kilkaset metrów od miejsca, gdzie stoi pamiątkowa tablica, kropi deszcz. *Kinkeimer See* – ta nazwa nieraz przewija się w artykułach Tischlera. Mokra mgiełka przykleja się do ciała. Po ściernisku powoli spacerują żurawie. Młody szary ptak przysiadł na polu pod czujnym okiem dorosłych. Przy wąskim, wykrojonym w roślinności kanałku błyska lazurowe skrzydło zimorodka. Na brzegu, okryty szczelnie peleryną, siedzi nieruchomy wędkarz, a za parawanem trzcin jaśnieją tak samo nieruchome czaple. Cisza. Tylko nad taflą wody zgodnie jazgoczą jaskółki.

Ażurowy zwierz nad Glinkami

Gdybym był ptakiem, autor atlasu napisałby, że „prowadzę wybitnie osiadły tryb życia". Od urodzenia mieszkam w tym samym miejscu. Od ponad trzydziestu lat oglądam na Szczęśliwicach każde lato, jesień, zimę i wiosnę. Pierwszy szron, pierwszy śnieg, pierwsze białe płatki na wiśni przy moim bloku. Jest we mnie coś z wróbla, który rzadko opuszcza swoją najbliższą okolicę. A jak ona wygląda, nie wiem, nie potrafię spojrzeć na nią cudzymi oczami. Chyba jest spokojna, z rzadka tylko ktoś pośród nocy ryknie jak ranny zwierz: „Leeegiaaa!" albo połamie ławkę. Blokowisko z lat siedemdziesiątych, wielka spółdzielnia mieszkaniowa, szarzyzna przykryta morelowym lukrem styropianu. Na szczęście smog i jakieś porosty nadały mu już trochę patyny. Ale najcenniejszy jest park.

Wyrósł na dzikich polach, niedobitkach podmiejskich sadów i śmietniskach. Łąkach, na których obozowali Cyganie. Na cegielnianych wyrobiskach wypełnionych wodą. Dlatego nie ma tu wiekowych drzew ani architektury, która budziłaby zachwyt pięknem klasycznych form. Rodowód parku jest plebejski. Z odpadków, z kłębowiska starych szmat, ze złomu i popowstaniowych cegieł wypiętrzyła się górka.

„Powstawały, stale rosnąc, wysypiska niby jakiś księżycowy łańcuch górski. Śmieci dymiły, płonęły, nieraz nocą biła stamtąd wielka łuna jak od pożaru" – pisał o powojennych Szczęśliwicach Marek Nowakowski. Podskórne ruchy stale wypychają tu spod ziemi jakieś tajemnicze pręty i kable.

Pagórkowaty step z oczkami glinianek ucywilizowano pod koniec lat sześćdziesiątych. Dwa jeziorka połączono kanałem, górce nadano kształt. Nowy park Szczęśliwicki obsadzono topolami, krótkowiecznymi prymusami, które pierwsze pchają się w wyścigu do słońca. Wierzby zwiesiły ciężkie, kudłate łby nad brzegiem glinianki. Zasadzono sosnowy las, dziś miejsce załatwiania potrzeb fizjologicznych. Jeszcze na początku lat dziewięćdziesiątych od południa opasywały górkę pola kapusty i nieużytki. Z chaszczy wylatywały z furkotem spłoszone bażanty. Cicha, ruderalna i niezbyt bezpieczna okolica z zapyloną drogą gruntową prowadzącą do torów. Gdzieś tam pochowaliśmy mojego pierwszego psa, ale jego szczątki nie zaznały spokoju. Z dudnieniem nadeszło nowe.

Lata dziewięćdziesiąte przeprowadziły na okolicy nieudaną operację plastyczną. Wokół parku wyrósł las dźwigów, które długimi ramionami wygrażały górce. Ściśnięte kartonowo-gipsowe osiedla, jakby przeszczepione z tanich śródziemnomorskich kurortów, rozpełzły się po okolicy. Na obrzeża parku, zręcznie wykorzystując polityczną koniunkturę, wślizgnął się też kościół. A na samej górce wzniesiono pomnik nowych czasów – Całoroczny Stok Narciarski. Szczyt podwyższono, zbocze wyrównano i przykryto zieloną, imitującą śnieg szczotką. Teren ogrodzono. Ale spodziewane tłumy nie nadeszły. Jak to możliwe, że narciarze nie machnęli ręką na Kasprowy Wierch, na austriackie Alpy i nie rzucili się szusować ze wspaniałego pagórka? Działa tu też czynny przez trzy miesiące w roku basen. Są trzy siłownie, trzy place zabaw, dwa boiska do piłki nożnej, dwa do siatkówki, jedno do koszykówki, ścianka do tenisa i bar. Następne inwestycje już w drodze. Ile jest właściwie parku w parku?

Pochmurny zimowy poranek spowija mgła. W ciszy siedzą dziesiątki mew. Najwięcej jest śmieszek z ciemnym sierpem za okiem, pomiędzy nimi kilkanaście mew siwych, zwanych dawniej pospolitymi. Nazwę zmieniono, bo jak chronić ptaka, którego liczebność z definicji nie powinna być przedmiotem troski? Mewy nocują na skutej lodem gliniance, nieruchome i czujne. Koło ósmej rzucą się z wrzaskiem między okoliczne bloki. Oblecą śmietniki, zajrzą na znajome skwery. Tam zawsze leży chleb – ciemny, biały i zielony od pleśni. Świeży, czerstwy i zupełnie skamieniały.

Nic nie umknie ich uwagi. Niestrudzenie nękają ptaki, które znalazły gdzieś gnaty z rosołu. Ścigają do skutku, aż szczęśliwi znalazcy porzucą swą zdobycz. To zresztą ciekawe, że pierwszym odruchem schwytanej mewy jest zwrócenie wszystkiego, co ostatnio zeżarła. Bo o co innego może chodzić prześladowcom jak nie o jedzenie? A kiedy zrobi się naprawdę zimno, do parku zajrzą potężne mewy srebrzyste i białogłowe. Ale tych nie bywa tu nigdy więcej niż dziesięć. Bardziej nieufne, ostrożne. Żeby oderwać tak wielkie ciało od ziemi, trzeba więcej siły i czasu, dlatego te olbrzymy nie ryzykują, nie spoufalają się z ludźmi. Nie przepychają się do rozrzucanego na brzegu glinianek jedzenia.

Dopóki lód nie zetnie wodnej tafli, brzegi patrolują skryte kokoszki. Gdy tylko zobaczą człowieka, czmychają w uschłą palisadę trzcin. W zimowej ciszy słychać też czasem stłumione, metaliczne pogwizdywanie gili, których pękatą budowę studiował mistrz Dürer. Na olbrzymiej forsycji ćwierkają setki wróbli; rankiem wyglądają jak napuszone, pierzaste bombki.

Życie gromadzi się teraz przy karmnikach. Z otworów w plastikowych butlach zwieszają się dzięcioły, wysypane ziarno wydziobują mazurki. Dopiero pod koniec lutego coś zaczyna się dziać. Weselej pogwizdują sikory, wrony zabierają się do remontu gniazda. Pewna zaprzyjaźniona para cierpliwie obserwuje, jak wyczesuję psa. Rozrzucam kudły, a wrona ściga po trawniku uciekające kłębki. Zbiera, dopóki jest co zbierać. Z dziobem pełnym sierści wygląda, jakby wyrosły jej gigantyczne rude wąsiska. Jak młody Franciszek Józef.

Polowali na nie fotografowie z całej Warszawy: para dzięciołów białoszyich, zwanych dawniej syryjskimi, to były nasze szczęśliwickie gwiazdy. Nazwa nie kłamie – gatunek rzeczywiście pochodzi z Azji Mniejszej, stamtąd na początku ubiegłego wieku dzięcioły przyfrunęły na Bałkany. Rok po roku kolejne pokolenia przesuwały się na północ. Pierwsze syryjczyki wykluły się w polskiej dziupli pod koniec lat siedemdziesiątych. Szczególnie upodobały sobie miejskie parki, a w nich stare drzewa owocowe. Lubią też miękkie drewno wierzb i topoli. Ich egzotyczny rodowód nie rzuca się w oczy, właściwie są uderzająco podobne do pospolitych dzięciołów dużych. Poza tym oba gatunki mogą się ze sobą krzyżować.

Co je różni? Detale. Białoszyi nosi swoje imię nie bez powodu. „Wąs" na policzku nie łączy się z czarnym karkiem, więc szyja jest całkiem biała, podogonie różowe, nie wściekle czerwone jak u kuzyna, a skrajne pióra na ogonie czarne zamiast biało nakrapianych. No i głos, podobny, ale nie identyczny. Oba gatunki kręciły się po szczęśliwickiej okolicy, chociaż akurat ten park to nie jest wymarzone miejsce dla dzięciołów. Gdzie mu do praskiego Skaryszaka ze stuletnimi drzewami, kryjącymi w zakamarkach spękanej kory apetyczne owady? Tam dziuple kuje najpewniej aż pięć gatunków z tej rodziny.

Może syryjczyki doceniły na Szczęśliwicach stare mirabelki, wiśnie i podpróchniałe topole, które dożywają swoich lat?

Ostatniej wiosny dzięcioły białoszyje gdzieś zniknęły. Po prostu przestały bębnić w suche gałęzie i pokrzykiwać z korony ulubionej śliwy. Zjawiły się dzięciołki, czyli dzięcioły wielkości szpaka. Przez kilka dni pracowicie wykuwały dziuplę w przyciętym pniu wierzby. To musiała być mordęga, można powiedzieć, że miały dzioby pełne roboty. A kiedy wreszcie dziupla była gotowa, przyleciał dzięcioł duży i bez zbędnych ceregieli przepędził małych kuzynów. Dzięciołki próbowały straszyć, darły się wniebogłosy, ale olbrzym od razu zabrał się do roboty. Poszerzył otwór, pogłębił dziuplę i kilka dni później jego samica złożyła w niej jajka.

Szczęśliwice mają oczywiście swój folklor. To folklor przedmieścia, które awansowało i raptem zaczęło mieć pretensje do wielkomiejskości. W parku, tradycyjnie nazywanym przez mieszkańców Glinkami (albo nawet Glynkami), spotykają się dwie kultury. Starzy wędkarze reprezentują tu żywioł anarchiczny, ignorujący zakaz spożywania alkoholu w miejscach publicznych. Skłonni do pogawędek chętnie dzielą się opowieściami o ukrytym życiu tutejszych głębin. Zresztą co parę lat wyławia się stąd topielców. Kilkanaście lat temu regularnie widywałem śmiałków skaczących z wysokości w ciemną, nieprzejrzystą wodę. Na twardym dnie połamał się niejeden ludzki kręgosłup. Glinianki, pisał o tym Nowakowski, były miejscem rozmaitych inicjacji.

Park ma swoje legendarne postaci. Na przykład Prezes lubi opalać się latem na ławce i nie odmawia alkoholu. Wita się ze wszystkimi. Podobnie Roberto, którego skóra już w połowie maja ma zwykle kolor ciemnej śląskiej cegły. Roberto lubi rozmawiać o ptakach. Doniósł mi kiedyś o widzianym na gliniance zimorodku i trafnie zauważył, że drozdy odnajdują w trawie owady, nasłuchując z przekrzywionymi głowami. Przesiadywanie bez ruchu nad wodą ma w sobie coś z medytacji, wędkarze i starzy bywalcy wiedzą dużo o mieszkających tu zwierzętach i ich zwyczajach.

Kulturę wielkomiejską reprezentują biegacze. Ale ta grupa jest niejednorodna. Bo są ludzie roboty z słuchawkami na uszach, którzy bez śladu zadyszki wykonują wokół parku dziesiątki okrążeń, są biegacze udręczeni, którzy pędzą zbyt długim krokiem i wzdychają z ulgą, kiedy telefon rozgrzeszy ich mechanicznym głosem: „TRENING ZAKOŃCZONY", i są też tacy zupełnie normalni: zamyśleni, zadowoleni, zasmuceni. Chyba jeszcze nigdy nie byłem tu sam. Zawsze ktoś biega albo łowi ryby.

Przebudzenie to wysiłek, dlatego wiosna budzi się niechętnie. Otwiera jedno oko, ale zaraz znowu je zamyka. Mróz na chwilę odpuszcza, ale za moment ponownie chwyta lodowatym uściskiem. Kałuża to rozmarza, to znów pokrywa się cienką błonką lodu. Pod koniec lutego gdzieś wysoko leciały skowronki, słyszałem z nieba ich zgrzytliwe głosy. Szpaki pogwizdywały już na początku marca, ale ostateczny sygnał końca zimy dają mewy, które znikają w połowie miesiąca. Niedługo potem wracają grzywacze i od razu park zapełnia się ich zachrypniętym gruchaniem. Natychmiast biorą się do pracy, wiją swoje liche, płaskie jak patelnia gniazda. Terytoria zajmują sikory, pierwiosnek odlicza swoim donośnym „cilp-calp". Niemcy, naród pragmatyczny, nazwali go właśnie tak: *der Zilpzalp*. Białe kwiaty wiśni strzelają na początku kwietnia. To tylko kilka dni i białe płatki osypią się na ziemię.

Wiosna to pośpiech i niespodzianki. Bo kto by się spodziewał, że tu, w środku miasta, na otoczonym osiedlami jeziorku siądą raptem dwie płochliwe gęsi gęgawy? I że wyciągając niespokojnie szyje, będą dryfować przez pełną godzinę? W kwietniu wśród gliniastej szarzyzny zeszłorocznej trawy kiełkują soczyste jasne listki. Zaraz zakwitnie żółta forsycja, a po niej jabłonie. W połowie miesiąca wraca pierwszy śpiewak parku, kapturka, ale piosenkę ma jeszcze cichą i krótką, jakby ćwiczyła przed poważnym występem. Za moment przyleci świstunka, mały żółtawy ptaszek o świdrującym głosie przypominającym dźwięk toczącej się po marmurowym blacie monety.

Wyścig. Z czasem i z konkurencją o najlepsze miejsce na gniazdo. Nie ma co wybrzydzać – ogrodzeniowy słupek, zamek w furtce czy wnętrze ukruszonej betonowej latarni. Podłużne pęknięcie w wielkiej osice. Tu akurat wcisnął się pełzacz ogrodowy. Niepozorny jak brązowa myszka ptak z długim, zagiętym dziobem. Gdyby spacerował tu ze mną Anglik, pewnie padłby ze szczęścia – na Wyspach ten gatunek pojawia się wyjątkowo rzadko. Maj to już nieporadne pisklęta nawołujące rodziców z gałęzi drzew, z ławek i trawników. I masa trupów, bo przyroda jest bezlitosna dla słabych i wybrakowanych. Nawet w tym miłym, rodzinnym parku. Czerwiec nieprzyzwoicie pachnie berberysem.

Odkryłem go przypadkowo. Był duszny czerwcowy wieczór, a ja podczas jakiejś rozmowy usłyszałem dziwny głos dobiegający z trzcinowiska. W takiej chwili wszystko schodzi na drugi plan. Nieznajomego dźwięku się nie ignoruje. Podszedłem na palcach do trzcin, ale ptak wyczuł ruch. Na chwilę przycichł i zaraz powtórzył: „Hou, hou", jak dalekie szczekanie. Dla pewności nagrałem głos, lecz miałem już podejrzanego. To był bączek, płochliwa czapla wielkości gołębia, która w karkołomnych szpagatach wspina się na trzcinowe tyczki.

Lekka, zwinna i w kamuflażu ochrowych piór jest niemal niewidoczna.

Nazajutrz z samego rana poszedłem znów w to miejsce. Oparłem się o drewniany pomost i spojrzałem przez lornetkę na ścianę trzcinowiska. Miałem szczęście. Po chwili drobny ptak z długim dziobem ostrożnie wyjrzał zza zasłony roślin, ale czując, że jest obserwowany, szybko się cofnął. Teraz nie było wątpliwości. Tak łatwo przegapić tę niepozorną sylwetkę, kiedy przecina powierzchnię jeziora. Bączek leci nisko nad wodą, skrzydłami uderza trochę jak kawka, ale demaskują go jasne lustra na skrzydłach. Siada, rozgląda się szybko i daje nura w roślinność. Albo wyciąga się w górę i udaje, że jest jedną z poruszających się na wietrze trzcin. Czasami widzę, jak nieruchomieje nad taflą wody w oczekiwaniu na przepływające rybki. Nieporuszony, całkowicie skupiony na swoim polowaniu wygląda, jakby ktoś go tam posadził i o nim zapomniał.

Jest ich coraz mniej, w całym kraju tylko siedemset par. Gniazda nad dzikimi stawami plądruje im norka amerykańska, dlatego coraz częściej przenoszą się do miast. Ale następnej wiosny bączek kazał na siebie czekać wyjątkowo długo. Traciłem już nadzieję, wiedząc, jak wiele niebezpieczeństw czeka na niego w drodze z Afryki. Załamania pogody, drapieżniki, wreszcie myśliwi. W końcu 16 maja z wysokości skarpy zobaczyłem w trzcinach ruch. To mogła być łyska albo terkoczący tu od kilku dni trzciniak. Chwila spokoju. I znowu jedna z tyczek wyraźnie wygięła się pod ciężarem jakiegoś stworzenia. Wkrótce bardzo ostrożnie niemal na sam czubek trzciny wspiął się piękny, granatowo-kremowy samiec bączka. W ślad za nim – samica w maskujących kolorach otoczenia. Lekko oderwały się od tych szczudeł i przeleciały bezszelestnie na drugi brzeg glinianki.

Uwielbiam ten park, ale nie latem. Dawno wyleczyłem się ze szkolnej miłości do wakacji. Latem nie mam tu nic do roboty. W czerwcu ptaki niemal przestają śpiewać i kryją się w gąszczu liści. Trawniki zmieniają się w wypaloną słońcem sawannę, a zieleń z każdym dniem ciemnieje i traci soczystą jędrność. Pod koniec sierpnia brzozy szeleszczą już papierem wyschniętych listków. Odkryty basen wypełnia się nieprzerwanym jazgotem, który zagłusza nawet odgłosy ulicznego ruchu. Setki ludzi tłoczą się jak pingwiny w kolonii i zażarcie walczą o najmniejszy skrawek trawnika.

Duchota, martwe, nieruchome powietrze i słoneczna lampa od samego rana. Ciągnące od świtu tabory z dmuchanymi krokodylami, leżakami i ręcznikami z gołą babą. Tłumy mężczyzn bez koszulek. Wystawa nieapetycznych ciał i koślawych tatuaży. Muzyka z komórek. Stare samce *homo sapiens* chłodzące się w wodzie jak ociężałe hipopotamy. Opalające się półnago staruszki. Skwapliwi strażnicy żaru w rozstawionych grillach i zapach sików spod każdego krzaka. No i śmieci. Stosy puszek. Dryfujące majestatycznie po jeziorku foliowe opakowania i szklane szyjki butelek nieśmiało wychylające się z trzcin.

Było koło północy, kiedy z J. zajechaliśmy na miejsce. Okolica na pierwszy rzut oka mało interesująca. Poprzecinana wysepkami buszu plątanina torowisk zbiegających się tuż przed Dworcem Zachodnim. Trawy i osty sięgające szyi, niecałe trzy kilometry od parku. Ale właśnie tu, w smrodzie nagrzanych podkładów, postanowił zatrzymać się w drodze na Północ pewien niepozorny ptaszek. Ptasiarz ze Szczecina, który w pobliskim budynku robił jakieś zlecenie dla PKP, zmęczony przeciągającą się do nocy pracą postanowił zrobić sobie przerwę. Otworzył okno i w ciszy usłyszał niespodziewany głos.

„Tirururu-tłi-tłi”, śpiewała po swojemu zaroślówka. A więc nawet w tym najbrzydszym miejscu na świecie może się trafić coś ciekawego. Zaroślówka to wyjątkowo skryty ptak, który odzywa się niemal wyłącznie w nocy. Dlatego częściej bywa słyszana niż widziana. Za dnia łatwo ją zresztą pomylić z jakimś jej pospolitszym krewniakiem z rodziny trzciniaków. Ile zaroślówek co roku przelatuje przez kraj niezauważonych? Tego nie wie nikt. W każdym razie dla tej miłośniczki krajobrazów ruderalnych trzeba było przejść spory kawałek po nasypie. Z oddali białym okiem zegara przyglądał się nam Pałac Kultury. Pociągi przetaczały się z łoskotem na wyciągnięcie ręki, a kiedy cichło dudnienie kół, słychać było z ciemnej kępy krzaków: „Tirururu-tłi-tłi”.

Pierwsze w historii (i jak na razie jedyne) gniazdowanie tego gatunku w Polsce odnotowano w 2011 roku na Podlasiu, gdzie zaroślówki chętnie zatrzymują się w czasie migracji. Podchodzę do krzaka, świecę latarką i chociaż ptak jest może parę kroków ode mnie, widzę jedynie liście i ich niesamowite cienie. Zaroślówka nie przestaje śpiewać. Nagle drobny, ciemny kształt przeskakuje po gałęziach. Po chwili głos rozlega się z innego krzaka. Zaroślówka najchętniej mieszka na podmokłych łąkach z kępami wierzb – od krajów bałtyckich aż po daleką Syberię. Podlasie widocznie się jej spodobało. Zresztą coraz więcej gatunków ze Wschodu regularnie pojawia się w Polsce. Mówi się o nich, że są w ekspansji, ale z taką ekspansją możemy się chyba pogodzić.

Tuż obok zaroślówki nieprzerwanie nadają dwa inne ptaki. To jej bliscy krewni, łozówki, chyba najbardziej ekstatyczni ptasi naśladowcy znani nauce. Godzinami potrafią wyśpiewywać swoje szalone improwizacje, zapętlać melodie, niespodziewanie zmieniać tempo i rytm. Według Françoise

Dowsett-Lemaire, która badała piosenki łozówek, ptaki te w ogóle nie mają własnego głosu. Ich śpiew to genialna kompilacja zasłyszanych dźwięków. Jak pisze David Rothenberg w książce *Why Birds Sing* – łozówka jest po prostu rewelacyjnym didżejem. Wsłuchuję się w dziką paplaninę: dymówka, niezidentyfikowane gwizdy, dzwoniec, tajemnicze trzaski, mazurek, odgłosy jak z syntezatora MIDI. Nieznane mi dźwięki to prawdopodobnie głosy, które młode ptaki słyszą w czasie pierwszej zimy we wschodniej Afryce. Śpiew śpiewem, a samice podobno i tak wybierają samce zajmujące większe terytorium. O co więc chodzi? Po co ptaki w ogóle śpiewają?

Powodów oczywiście jest wiele, przede wszystkim samce wabią śpiewem partnerki i informują konkurencję o zajętym obszarze. Przez cały rok słyszy się głosy kontaktowe, którymi ptaki obwieszczają: „Tu jestem". Istnieje też uniwersalny język ostrzegawczy. Skrzeczenie zaniepokojonej sójki rozumieją wszystkie zwierzęta w lesie. Ptaki, pisze Rothenberg, zawsze śpiewały dobrze, to my ciągle zmienialiśmy gusty. W 1717 roku wydano *The Bird Fancyer's Delight*, zbiór utworów, które właściciele mieli grać swoim kanarkom i papużkom. Chodziło o to, by „nauczyć je śpiewać", przekonać do porzucenia gwizdów i terkotów na rzecz konwencjonalnych melodyjek. Ale dziś, zwraca uwagę Rothenberg, to, co kiedyś zdawało się okropne, inaczej brzmi dla uszu przywykłych do free jazzu, dodekafonii i skreczowania.

W latach dwudziestych ubiegłego wieku brytyjska wiolonczelistka Beatrice Harrison wyprowadziła się na wieś i zaczęła wieczorami ćwiczyć na dworze. Usłyszała, że okoliczne słowiki przyłączają się nieśmiało do jej koncertowania. Po pewnym czasie zaczęły śpiewać pełnym głosem, ilekroć zaczynała grać. W 1924 roku po długich namowach udało jej się przekonać lorda Reitha, dyrektora BBC, do nagrania pierwszej audycji radiowej na świeżym powietrzu. Ekipa ustawiła mikrofon przed krzakiem, z którego śpiewały słowiki, a pani Harrison wystrojona w wieczorową suknię zaczęła grać. Czy to trema zjadła ptaki, czy repertuar im nie odpowiadał, a może technicy wypłoszyli je z ogrodu? Wiolonczela grała samotnie przez dobrą godzinę. Zapowiadała się klapa.

Piętnaście minut przed końcem audycji słowik dołączył do *Když mne stará matka zpívat učívala* Dvořáka. Rothenberg, komentując to niezwykłe wydarzenie, pozwala sobie na subtelny sceptycyzm. Czy to, czego świadkami stali się słuchacze, nie było „naiwnym antropomorfizmem albo pragnieniem, by usłyszeć muzykę tam, gdzie był po prostu zwykły dźwięk?" Może słowik starał się zagłuszyć instrument? Tak czy siak – audycja okazała się wielkim sukcesem, a Harrison dostała pięćdziesiąt tysięcy listów z gratulacjami (!) i stała się najbardziej rozchwytywaną wiolonczelistką swoich czasów. Koncert na słowika i wiolonczelę na żywo powtarzano corocznie przez dwanaście lat. Później prezentowano już tylko solowe popisy ptasiego śpiewaka, aż do 1942 roku, kiedy do audycji zakradł się dudniący dźwięk nadciągającej eskadry bombowców. Realizator, nie chcąc siać paniki, przerwał nagranie.

Nie ma sensu przepisywać genialnej książki Rothenberga. Streszczę jeszcze tylko jedną uroczą historię z udziałem muzycznego geniusza Wolfganga Amadeusza Mozarta. Według wpisu z dziennika wydatków 27 maja 1784 roku kompozytor kupił sobie szpaka. Nie dlatego, że szczególnie kochał ptaki. Ten szpak gwizdał jego ukończony 12 kwietnia tego samego roku *Koncert fortepianowy G-dur*! Jak to się stało, skoro utwór nie był jeszcze nigdzie prezentowany? Zbieg okoliczności chyba można wykluczyć. Mozart, który miał zwyczaj gwizdać w miejscach publicznych, być może sam podsunął szpakowi melodię. Ptak pozwolił sobie jednak na małą poprawkę: G zamienił na Gis. Zdaniem Rothenberga nowa aranżacja wyprzedziła swoje czasy.

Jesień to kolor dojrzewających w słońcu liści, którymi w październiku szeleszczą zasypane pstrokacizną alejki. Ciepłe światło. Chłodne poranki. Szybko zapadający zmierzch. Na gliniance lądują zdezorientowane kaczki wypłoszone z podmiejskich stawów przez myśliwych. Czernice rozglądają się niepewnie żółtymi oczami, ale czasem zostają tu na parę godzin. Nigdy nie wychodzą na brzeg. Nawet nie dlatego, że w mieście czują się niepewnie. Czernice należą do grążyc, czyli kaczek nurkujących, i nie potrafią dreptać za spacerowiczami jak krzyżówki. Umieją szukać pożywienia na głębokości dziesięciu metrów, ale na lądzie niezdarnie szorują brzuchami po ziemi.

We wrześniu na dobre zaczynają się przeloty, ruchliwe miasto w dole zwykle nie robi jednak wrażenia na wędrujących ptakach. Nocą słychać wyraźnie nawoływanie ciągnących gęsi. Rankiem wysoko w górze przesuwa się klucz żurawi, ale uliczny szum tłumi ich przeszywający klangor. W południe krążą czarne krzyżyki myszołowów. A kiedy światło dnia przygasa, trzciny ożywają chórem gwizdów i szczebiotów. Szpaki za dnia obsiadają podmiejskie pola, ale pod wieczór zlatują się do parku nieprzeliczoną chmarą. Ogromne stado wywołuje na twarzach przechodniów niepowtarzalny wyraz zaskoczenia i niepokoju. A ptaków jest coraz więcej i więcej, jakby naradzały się przed jakąś ważną decyzją. Godzinę przed zmierzchem stado zaczyna przedstawienie.

Czasem nad osiedlowym parkingiem, czasem nad otoczoną trzcinami glinianką wzbija się w niebo kilka grup po kilkaset ptaków. Kuliste gromady mieszają się w locie i gwałtownie zmieniając kierunki, przybierają niespodziewane kształty. Potem znowu tłoczą się tak ciasno, że stają się ciemną, jednorodną materią. Kiedy przelatują blisko, słychać wyraźnie szum tysięcy skrzydeł, świst milionów piór. Po chwili rozwijają szyk, wyciągają się w długi, czarny język i ni z tego, ni z owego rozpadają na atomy pojedynczych ptaków. Wielkie, zmiennokształtne ażurowe zwierzę szaleje nad drzewami aż do zmierzchu. Synchronizacja i precyzja ruchów są zdumiewające, jakby stadem rządził kolektywny umysł. Widowisko powtarza się przez kilka wieczorów.

Późną jesienią, zanim lustro wody przykryje kryształ lodu, do parku przylatuje bernikla. Ostrożna odpływa z godnością, kiedy w zasięgu wzroku pojawi się pies. Jakoś obco wygląda wielka, samotna gęś w towarzystwie kaczek i łysek. Bernikla kanadyjska, jak sama nazwa wskazuje, korzenie ma na innym kontynencie. Sprowadzano ją do angielskich parków dla dekoracji. Postawne ptaszysko z czarną szyją i białymi policzkami, dryfujące dostojnie po stawie wdzięcznie rymowało się z białymi łabędziami. Kłopot w tym, że berniklom szybko znudziło się dryfowanie. Zdziczały i zaczęły kolonizację nowych terenów.

No i co tu z nią robić? Ekosystem to precyzyjny mechanizm. Każde stworzenie ma w nim określone miejsce i zadanie. Tu raczej nie bywa wakatów. Przebojowy przybysz może zagrozić mało asertywnym tuziemcom. Szczególnie tym, którzy jedzą to samo i zamieszkują podobne środowisko. Tak było choćby z wypuszczanymi przez miłośników ptaków wróblami. To dzięki ludziom ten mały, niechętnie opuszczający rodzinne strony ptak podbił prawie cały świat. W nowej okolicy robił użytek ze swojego całkiem pokaźnego dzioba i przeganiał delikatniejszą konkurencję. Szpak zresztą zachowywał się równie nieelegancko.

Niska blondynka z buldożkiem opowiadała mi, że berniklę sprowadził jeden z tutejszych deweloperów, żeby ładnie wyglądała na osiedlowym oczku wodnym. Ptak jednak znudził się okolicą, karmiono go chyba nieregularnie, stracił w końcu cierpliwość i przyleciał nad jeziorko. Tu wielka gęś budzi zachwyt. Na jej widok ludzie dobywają telefony. Marszcząc brwi, dobierają kadr, w skupieniu zoomują na dotykowym ekranie. Czy zainteresują się ptakiem, którego napotkali? Czy poszukają jeszcze kiedyś zdjęcia gęsi wśród tysięcy fotografii śniadań, dzieci i wakacji?

Człowiek, który został sokołem

Najpierw szukałem lelka, który gnieździł się w dolinie. Jego pieśń jest jak pomruk strugi wina lanej z wysoka do głębokiej beczki. Wonny dźwięk, którego bukiet wznosi się do cichego nieba. W blasku dnia zdawałby się delikatniejszy i bardziej wytrawny, ale zmierzch łagodzi ton i nadaje mu szlachetność. Gdyby pieśń mogła pachnieć, byłby to zapach rozgniecionych winogron, migdałów i ciemnego drewna. Dźwięk wylewa się, ale nie rozlewa. Cały las wypełnia się nim po brzegi. Wtedy lelek milknie. Nagle i nieoczekiwanie.

Ze zdjęcia patrzy okrągła, zamyślona twarz w okularach. Grube szkła, wysokie czoło, broda wsparta na ręce. Niemłody melancholijny mężczyzna. Wygląda trochę jak miś koala. Do niedawna wiedzieliśmy bardzo niewiele o Johnie Alecu Bakerze. Nie było nawet jasne, jak brzmiało jego drugie imię – używał wyłącznie inicjału. Skryty i skromny żył niezauważany. W biogramie na okładce jego debiutanckiej książki można było przeczytać, że żyje z żoną w Essex, nie ma telefonu i nie lubi spotkań towarzyskich. Edukację zakończył w wieku siedemnastu lat, później pracował między innymi przy wycince drzew i pchał wózki z książkami w British Museum.

Miał czterdzieści jeden lat, kiedy w 1967 roku ukazała się jego pierwsza książka *The Peregrine, Sokół.*

Dopiero niedawno udało się poznać trochę nowych faktów, które uzupełniły jego niezbyt awanturniczy życiorys. Baker ukończył prestiżową King Edward VI Grammar School w rodzinnym Chelmsford. Koledzy wspominali, że mimo poważnej wady wzroku nieźle grał w krykieta. Zdrowie zawsze miał marne, od dzieciństwa chorował na reumatyzm i często opuszczał lekcje. Dużo czytał. Geologia, Pablo Neruda, historia opery, Ted Hughes. Większość życia przepracował w Związku Automobilowym, chociaż nie miał nawet prawa jazdy. Czasami podwoziła go młodsza o dziewięć lat żona Doreen. Ptaki pokochał późno, ale była to miłość namiętna.

> Przez dziesięć lat śledziłem sokoła. Był moją obsesją, moim Świętym Graalem. Ale teraz go nie ma. Długi pościg się skończył. Zostało niewiele sokołów, będzie ich jeszcze mniej, mogą nie przeżyć. Umierają na plecach, bezsilnie chwytając szponami niebo w ostatnich konwulsjach, słabe i wypalone przez czarny, zdradziecki pył rolniczych chemikaliów. Zanim będzie za późno, próbuję uchwycić nadzwyczajną urodę tych ptaków i opisać wspaniałości ziemi, na której żyły [...].

Przemierzał swoją okolicę pieszo i na rowerze. Materiał na debiut zbierał przez dziesięć lat. Z dekady zrobił w swojej książce półrocze. To ptasi dziennik prowadzony od października do kwietnia. Stale niezadowolony z rezultatu przepisał całość pięciokrotnie, zanim oddał rękopis wydawcy. *Sokół* został uznany za literackie arcydzieło, a autora uhonorowano prestiżową Nagrodą imienia Duffa Coopera. Onieśmiela mnie bogactwo tej książki, brawura, z jaką Baker przekracza granicę językowych konwencji pisania o przyrodzie. Języka w ogóle. Rzeczowniki, które zamieniają się w czasowniki. Czasowniki, które wyfruwają z przymiotników. Głęboki, przemyślany rytm każdej frazy. Zdania można dzielić na wersy i zamieniać prozę w poemat.

W 2005 roku *Sokół* ukazał się w serii klasyków „The New York Review of Books". W przedmowie Robert Macfarlane nazwał książkę „niezaprzeczalnym arcydziełem". Przygnębia mnie myśl o tym, jak wielu rzeczy w niej nie rozumiem. „*I swooped through leicestershires of swift green light*". Nie potrafię przetłumaczyć tego zdania i bardziej czuję, niż wiem, że jest piękne. Brzmi jak muzyka. Podziwiam śmiałość metafor, swobodę synestezji. Bo Baker każe nam wąchać dźwięki, patrzeć na zapachy. Wrażenia jednego zmysłu mamy pochwytywać innym. Jego wyobraźnia nie zna zahamowań. Nie sądziłem, że można tak pisać o przyrodzie.

Chelmsford leży zaledwie pół godziny pociągiem od Londynu i nie jest ani zapyziałym przedmieściem, ani obrażonym blokowiskiem. To nie sypialnia, chociaż jest tu trochę sennie. Wydaje się, że mieszkańcy cenią sobie ten spokój, a bliskość stolicy nie wywołuje w nich frustracji. W kompleksy nie wpędza ich chyba również fakt, że jedyną atrakcją Chelmsford jest najmniejsza katedra w Anglii. Wszystko ma tutaj jakąś ludzką skalę. W kiosku prowadzonym przez pana w turbanie w niewielkim dziale z prasą znajduję dwa pisma ornitologiczne. Na dobrym papierze, kolorowe, złożone jak miesięcznik lajfstajlowy. Urocze.

Kilkanaście jemiołuszek podzwania z wiązów przed kościołem Świętego Jana. Od rana jest ponuro, ale Finchley Avenue okazuje się zalaną słońcem ulicą jasnych jednorodzinnych domków. Baker wychowywał się pod numerem 28. Otwiera młoda kobieta. Łowię w jej spojrzeniu niepewność, bo i sytuacja dość dziwna. Dwoje ludzi z Polski pyta o jakiegoś pisarza, który mieszkał kiedyś w jej domu. Rozmowa w drzwiach: nic nie wie, nigdy o nim nie słyszała. Z dachu zrywa się z klaskaniem skrzydeł gołąb. Okna od podwórza wychodzą na park. Jest tu tak spokojnie, że gdy pół godziny później wracamy na róg Elm Road i Moulsham Street, na szczycie drzewa wciąż śpiewa ten sam dzwoniec. A może to jego sobowtór?

> Między drugą a trzecią robił się coraz bardziej pobudzony i niespokojny. O trzeciej poleciał na południowy wschód i zniknął mi z oczu. Polowanie w sadzie najwyraźniej się zakończyło. Godzinę później siadł w konarach uschniętego dębu i został tu do zmierzchu. Złapał i zjadł sześć robaków. Za każdym razem zlatywał ślizgiem na pole kukurydzy, chwytał robaka w szpony i zabierał na gałąź. Trzymając jedną nogą, jadł powoli, w czterech, pięciu kęsach. Poruszał się wolno i z namysłem. Wyglądał, jakby delektował się jakimś rzadkim, sezonowym przysmakiem. Konkretniejszy posiłek zjadł wcześniej. Robaki, tak jak myszy, to smakołyki, których pierzące się sokoły najwyraźniej nie potrafią sobie odmówić.

Trudno było zakwestionować kunsztowne piękno języka, ale zarzucano Bakerowi, że zmyślał. Pisarz nie miał świadków swoich obserwacji. Sugerowano, że widział ptaki hodowlane, a nie dzikie, zimujące w Essex sokoły. Tych w latach sześćdziesiątych było już bardzo niewiele, a w kraju oszalałym na punkcie ornitologii musiałby je zauważyć jeszcze ktoś inny. Zachodziło podejrzenie, że Baker mylił sokoły wędrowne z drobniejszymi od nich pustułkami, których na angielskiej prowincji było całkiem sporo. Bo sokoły miałyby zawisać nad zdobyczą albo dreptać po polu i chwytać owady wypadające spod pługa? Nikt wcześniej niczego takiego nie widział. I skąd u Bakera tyle trupów upolowanych przez sokoły ptaków? W całej książce naliczono przeszło sześćset sztuk. Każdy, kto spędza czas w terenie, wie, że widok rozszarpanych ofiar wcale nie jest taki częsty. Czy umniejsza to wartość książki? Naukową może tak, ale *Sokół* jest przecież świadectwem literackiej obsesji.

»Piii-łit« – o zmierzchu nawoływania siewek stawały się głośniejsze. Stojąc wśród dębów i brzóz, zobaczyłem między drzewami ciemny sierp sokoła wznoszący się w górę zielonego zbocza doliny. Kwiczoły zerwały się w kierunku drzew. Niektóre z głuchym łomotem spadły w paprocie jak żołędzie. Sokół zawrócił i podążył za nimi, wzniósł się gwałtownie i strzepnął jednego z gałęzi, lekko, jak wiatr porywa liść. Martwy ptak dyndał na szubienicy szponów. Sokół zabrał go nad strumyk, oskubał, zjadł na brzegu, a pióra zostawił, by przesiał je wiatr.

Przy Marlbrough Road J. A. Baker osiedlił się z żoną po sukcesie *Sokoła* i tu dożył swoich dni. Pukamy, drzwi otwiera Bryan Clark, wesoły mężczyzna w fularze i kapciach z futerkiem. Oryginał. Jest dziennikarzem, zajmuje się przemysłem wydobywczym. Dobiera słowa tak, że nie zawsze rozumiem, o co mu chodzi. Nie może zaprosić do środka, jest zajęty, ale opowie nam o niejakim panu Biskupku, Polaku, który ożenił się z jego kuzynką. I tłumaczy, że ród Clarków pochodzi z tego samego klanu co krewni byłego premiera Camerona. Od dłuższej chwili dość gwałtownie pada śnieg. Ale pan Clark powoli kończy anegdotę i konstatuje flegmatycznie: „Czy mi się wydaje, czy zaczął padać śnieg?". Bakera nie poznał, ale znajomi opowiadali mu, że był nieśmiały, jakiś taki osobny.

Idziemy do sąsiadów, państwa Butlerów, którzy mieszkali obok Bakerów przez dwadzieścia lat. Sadzają nas na kanapie, dostaję kawę w kubku Arsenalu. Jaki był Baker? „Dziiiiwny", mówi przeciągle pani Butler i znacząco unosi brwi. Kochał tylko ptaki. Nie dobrał się z żoną Doreen – ona śpiewała w chórze, lubiła widywać się z ludźmi, on był zamknięty, wycofany. Ale pan Butler przypomina sobie, jak Baker zobaczył kiedyś na starym cmentarzu za domem człowieka strzelającego do ptaków z wiatrówki. Ten dziwak i odludek, artretyk z koszmarnymi bólami kręgosłupa wpadł w taką furię, że przesadził płot jednym susem i rzucił się w pogoń. Przerażony strzelec zbiegł.

Cmentarz leży dokładnie za domami Butlerów i Clarka. Większość grobowców w gotyckiej manierze z przełomu wieków. Tu spoczywa Alfred Darby, agent nieruchomości, i skromna Ruth, zaledwie „siostra powyższego". Pióra gołębia, resztki z uczty jakiegoś drapieżnika, i podekscytowany rudzik, który aż dławi się swoją piosenką. Zbliżam się o dwa kroki, a on milknie, przykuca i przygląda mi się w napięciu, ale zaraz wraca do śpiewania. Jestem tak blisko, że mógłbym go złapać jednym ruchem ręki, a on nic sobie z tego nie robi. Nie jestem rudzikiem, nie liczę się. Teraz jest nastawiony tylko na poszukiwanie samiczki i obronę terytorium. Nie ma żartów, może wyglądają rozczulająco, ale o swój kawałek ogrodu potrafią walczyć na śmierć i życie. W internecie pełno jest pytań, jak radzić sobie z ptakiem, który zapamiętale atakuje swoje odbicie w szybie zaparkowanego samochodu.

Na wprost, na zaoranym polu co najmniej dwa tysiące brodźców stało jak zabawkowe żołnierzyki gotowe do bitwy. [...] Wiele biegusów zmiennych drzemało, rdzawe i kamuszniki przysypiały; tylko rycyki były rozbudzone i czujne. Kwokacz przeleciał, nawołując monotonnie, co wyraźnie zaniepokoiło mniejsze brodźce. Zareagowały, jakby był jastrzębiem. Pomiędzy nimi chodziły góropatwy czerwone, wpadały na biegusy i szturchały kamuszniki. Szły przed siebie albo przystawały i jadły. Kiedy brodziec przed nimi się nie poruszał, próbowały przejść po nim. Dla ptaków są tylko dwa rodzaje ptaków: te z ich gatunku i te, które są niebezpieczne. Żadne inne nie istnieją. Reszta to tylko niegroźne przedmioty, jak kamienie czy drzewa, czy martwe ludzkie ciała.

Baker medytuje. Jest w jego notatkach uspokajający porządek, powracający jak mantra rytm. Przebudzenie. Sokół leci do najbliższego strumienia, kąpie się, schnie, poprawia pióra. Drzemie. Potem wznosi się i kołuje, nabiera prędkości, bawi się, płoszy ptaki udawanymi atakami. Poluje i zjada ofiarę. Odpoczywa. Patroluje okolicę. Szuka miejsca na nocleg. Usypia. Czasami akcji jest jeszcze mniej. Baker znajduje resztki wypatroszonego gołębia. Szczątki mewy. Świeże, stygnące albo stare, wyschnięte i sztywne. Nie dzieje się nic. Mark Cocker pisze w przedmowie, że Baker to „mistrz pustki i stagnacji". Jego pisarstwo jest antytezą obrazu telewizyjnego, który skupia się wyłącznie na akcji. Jest pochwałą bezruchu i cierpliwości. „Nic się nie dzieje" – potrafi napisać Baker.

Dwa trupy na brzegu rzeki: zimorodek i kszyk. Bekas leżał zanurzony do połowy w podmokłej trawie, niewidoczny nawet po śmierci. Zimorodek błyszczał w błocie na brzegu jak brylantowe oczko; poplamiony krwistą czerwienią strzępek. Jego krótkie nogi, teraz sztywne jak kawałki laku, wystygły w szemrzących zmarszczkach rzeki. Był jak martwa gwiazda, której zielonoturkusowy blask połyskuje przez odległe lata świetlne.

Nad rzeczką Chelmer, odpowiednikiem podwarszawskiego Świdra, zaczyna się wczesna wiosna. Zeszłoroczne badyle chwastów świecą biało w ostrym, jeszcze zimowym słońcu. Co chwila spada krótki, gwałtowny deszcz, a nad nami przesuwają się ołowiane chmury. Wiatr i tęcza. Koło domowych furtek siedzą przycupnięte w trawie króliki. Późno podrywają się do ospałej ucieczki. Na brzegach rzeki człapią kokoszki, u nas tak skryte i płochliwe. Zimny wiatr przewiewa na wylot, cieszę się, że nie mam reumatyzmu. Tuż za miastem zaczynają się pola. Czajki uganiają się za sobą chwiejnym lotem, po pastwisku kicają stada drozdów. Przepatruję uważnie – kwiczoły, droździki, śpiewaki. Wielka Brytania leży nad oceanem i co roku obserwuje się tu amerykańskie gatunki, które jakaś wichura zdmuchnęła z kursu.

W nadrzecznych krzakach skacze biała kulka waty z długim ogonem. Raniuszek z brytyjskiego podgatunku *rosaceus*, z ciemniejszą niż u naszego głową. Patrzę w niebo w nadziei, że przeleci któryś z sokołów Bakera, ale jedyny drapieżnik to tańcząca na wietrze, podobna do latawca pustułka. Piękny, niebieskogłowy samiec wypatruje zdobyczy w zeszłorocznych trawach. Zawisa na moment, uderzając szybko skrzydłami, i spada na ziemię. W błocie drepce pliszka siwa – też miejscowa specjalność, podgatunek *yarelli* – z czarnymi, a nie szarymi jak u naszych plecami. Szmaragdowe strzały zimorodków ścigają się wśród wiosennej szarzyzny. Po kamieniach koło śluzy biega pliszka górska, wbrew swojej nazwie spotykana też w dolinach. Kiwa nieustannie zdumiewająco długim ogonkiem; jak linoskoczek pomaga nim sobie w utrzymaniu równowagi. Docieram do pierwszej śluzy w połowie trasy, którą regularnie przemierzał Baker.

Wbił wzrok w moją twarz i przelatując z gałęzi na gałąź, odwracał głowę tak, by mieć mnie na oku. Nie bał się ani nie niepokoił, kiedy podnosiłem i opuszczałem lornetkę albo gdy zmieniałem pozycję. Był obojętny, może umiarkowanie zaciekawiony. Sądzę, że uważa mnie teraz za pół sokoła, pół człowieka: kogoś, komu warto przyjrzeć się raz na jakiś czas, ale komu nie wolno zaufać. Ot, może jakiegoś kalekiego sokoła, niezdolnego do lotu i normalnego zabijania, niepewnego i zgorzkniałego.

Krajobraz Essex, płaski i bezleśny, to u Bakera kraina tajemnicza, prawie baśniowa. Las południowy, las północny, bród. Niektóre miejsca można zidentyfikować. Mierzący dwieście stóp komin czy drewniana wieża kościelna, po której wspina się strzyżyk. Anonimowa kraina bez znajomych toponimów. Banalny, opisany setki razy krajobraz rolniczej angielskiej prowincji zdaje się u niego niemal egzotyczny. Baker nie wspomina słowem o ludziach, ucieka przed nimi tak jak sokoły, którym poświęca całą uwagę. Zabiega o ich akceptację, chce się im przypodobać. Nosi w kółko te same ubrania, porusza się ostrożnie, bo sokół boi się nieprzewidywalnego. Podziwia ciemny sierp sylwetki. Zachwyca się widowiskiem śmierci, miriadami ptaków, które w panice podrywają się do ucieczki. Codziennie podchodzi o krok bliżej, nie może się powstrzymać. Nie chce i nie potrafi.

Kiedy odwróciłem wzrok, sokół opuścił swoje stanowisko i wybuchła panika. Południowe niebo zapełniło się gęstwiną wzlatujących ptaków: siedemset czajek, tysiąc mew, dwieście grzywaczy, pięć tysięcy szpaków malało w spirali rozszerzającego się wiru. Trzysta siewek złotych krążyło nad nimi i było je widać, tylko gdy nawracały i błyszczały w słońcu. W końcu dostrzegłem drapieżcę w ostatnim miejscu, w którym się go spodziewałem – a które powinno być pierwszym – dokładnie nad moją głową.

Po sukcesie *Sokoła* Baker rzucił pracę i napisał *The Hill of Summer*, *Wzgórze lata*, poetycką opowieść o angielskiej wiośnie. Choroba reumatyczna postępowała, a wraz z nią mizantropia. Coraz mocniejsze lekarstwa wywołały nowotwór. Baker nie mógł już wychodzić, całkowicie zależny od żony stał się nieznośny. Nie pozwalał jej przyjmować gości, wymagał, by najbliżsi zapowiadali się z wizytami. Doreen wytrzymała z nim do końca. Baker zmarł 26 grudnia 1987 roku, a jego szczątki skremowano i pochowano w Chelmsford. Żona wyprowadziła się niebawem do sąsiedniego miasta.

Spaceruję po cmentarzu w oślepiającym słońcu, ale nie natrafiam na jego grób. Gdzieś pomiędzy drzewami śmieje się ze mnie złośliwie dzięcioł zielony.

Zatrzymałem się w środku lasu. Po twarzy i karku przebiegł mi dreszcz. Trzy metry dalej na sosnowej gałęzi tuż przy ścieżce siedział puszczyk. Wstrzymałem oddech. Sowa się nie poruszyła. Najmniejszy leśny szmer słyszałem tak wyraźnie, jakbym sam też był sową. Patrzyła na odbicie światła w moich oczach i czekała. Pierś miała białą, pokrytą rudymi prążkami i gęsto cętkowaną. Ta rudość przechodziła na boki szlary i głowę, tworząc rdzawą koronę. Twarz niby w hełmie, blada, ascetyczna, półludzka, pełna goryczy i beznamiętna. Oczy ciemne, głębokie i złowrogie. Ten hełm był groteskowy, tak jak gdyby jakiś zaginiony rycerz skurczył się i zamienił w sowę. Kiedy wpatrywałem się w te granatowe, otoczone ognistym złotem oczy, posępna twarz zdawała się zapadać w zmierzchu – tylko te oczy były żywe. Gdy puszczyk zrozumiał, że ma przed sobą nieprzyjaciela, po jego kamiennym obliczu przebiegł cień. Wystraszył się, ale nawet teraz nie odleciał. Żadne z nas nie mogło odwrócić wzroku. Jego twarz była jak maska: makabryczna, pusta, zbolała niczym twarz topielca. Musiałem się poruszyć. Sowa odwróciła się, zaszurała łapami po gałęzi, jakby dając za wygraną, i odleciała cicho do lasu.

Ostatnia wieczerza François Mitteranda

Nazywała się Martha i w chwili śmierci miała dwadzieścia dziewięć lat. Zmarła w ogrodzie zoologicznym w Cincinnati 1 listopada 1914 roku. Była ostatnim przedstawicielem swojego gatunku, ostatnim gołębiem wędrownym. Nie doczekała się potomstwa. Jeszcze sto lat wcześniej gołąb wędrowny był zapewne najliczniejszym ptakiem na ziemi. Na początku XIX wieku ojciec amerykańskiej ornitologii Alexander Wilson twierdził, że obserwował stado składające się z ponad dwóch miliardów ptaków. W 1871 roku w lesie blisko miejscowości Sparta (stan Wisconsin) gniazdowało ich przeszło sto milionów. Zniknięcie gołębi wędrownych to jeden z najbardziej poruszających przykładów niszczycielskiej działalności człowieka.

„Wyobraźcie sobie tysiąc młockarek pracujących na pełnych obrotach, parowce gwiżdżące z wysiłku i pociągi towarowe pędzące przez mosty – połączcie ten jazgot w jedno, a być może będziecie sobie w stanie wyobrazić ten przeraźliwy ryk" – tak dziennikarz gazety „Commonwealth Reporter" z Fond du Lac opisywał łopot skrzydeł milionów gołębi. Drzewa łamały się z hukiem pod naporem siadających na nich ptaków. Widok tego żywiołu był tak wstrząsający, że myśliwi z wrażenia porzucali broń. Oczywiście nie wszyscy.

Gołębie wędrowne niszczyły zasiewy, więc tępiono je z wielką zawziętością. Dziurawiono je śrutem, strącano kijami, siedliska palono.

Ostatni dziki gołąb wędrowny zginął w 1900 roku z ręki uzbrojonego w wiatrówkę chłopca. Ptaka wypchano, a w miejsce oczu wstawiono mu guziki. I tak go nazwano: Buttons. Okazało się, że wielkie stada skutecznie bronią się przed „konwencjonalnymi" drapieżnikami, ale nie przed człowiekiem. Kiedy populacja osiągnęła punkt krytyczny, ptaki po prostu przestały się rozmnażać. W tym samym 1900 roku republikanin John F. Lacey z Iowa przedstawił Kongresowi projekt pierwszej ustawy o ochronie przyrody, znanej później jako Lacey Act. Wspominając o gołębiu wędrownym, grzmiał: „Daliśmy odrażający popis masakry i zniszczenia, który powinien być ostrzeżeniem dla ludzkości".

Uroda kraski jest tak olśniewająca, że niemal zawstydza. Mieniący się w letnim słońcu szafir jej piór dziwnie kontrastuje ze stonowaną paletą naszych łąk i lasów. Mimo intensywnych działań ochronnych rokowania są marne. Populacja kraski skurczyła się w Polsce w ciągu ostatnich trzydziestu lat z tysiąca par do trzydziestu pięciu. Na zachodzie kraju kraska dawno wyginęła, ostatnią ostoją gatunku jest Równina Kurpiowska. Jedna czy dwie pary żyją też na Podkarpaciu, ale to odosobniona populacja, raczej skazana na wymarcie w ciągu najbliższych lat.

Pytanie, czy dla polskiej kraski w ogóle jest nadzieja, czy też pula genów jest już za mała, by gatunek przetrwał. Jeszcze w 1972 roku Jan Sokołowski pisał w *Ptakach ziem polskich*: „[...] w Poznańskiem, na Pomorzu i na Śląsku występuje tylko w wielkich lasach i nigdzie nie jest liczna. [...] Natomiast na wschód od Wisły jest pospolita i jadąc pociągiem, możemy już pod Warszawą zobaczyć kraski siedzące na drutach telegraficznych". Czytałem w jakimś przewodniku po stolicy z lat osiemdziesiątych, że kraski można było oglądać w Powsinie. Dziś trzeba się nieźle najeździć po niemałych przecież Kurpiach, by wypatrzyć charakterystyczną sylwetkę czatującego na zdobycz turkusowego ptaka.

W sezonie migracji w krajach basenu Morza Śródziemnego giną tysiące krasek. Zresztą nie tylko ich. Myśliwi nie wyróżniają żadnego gatunku. Umierają miliony ptaków, wśród nich także kraski. Przygnębiające, że choć na ochronę tego szafirowego skarbu wydajemy niemałe pieniądze, to całą naszą mikroskopijną populację może unicestwić jeden człowiek. I to niekoniecznie człowiek głodny. Wielu strzela raczej dla sportu albo chwały na portalu społecznościowym. Co roku tysiące zdjęć zabitych ptaków trafiają do sieci. I choć proceder prawie wszędzie jest nielegalny, to w niespokojnych krajach Bliskiego Wschodu walka z kłusownictwem nie należy do priorytetów.

Kilka lat temu w amerykańskim wydaniu „National Geographic" ukazał się artykuł Jonathana Franzena *Koniec pieśni*. Pisarz opowiada o rzezi ptaków wędrujących przez rejon Morza Śródziemnego. Stara się, by tekst nie był jednostronny. Próbuje ważyć argumenty i pogodzić swoją wrażliwość sytego człowieka Zachodu z interesami ludzi, dla których polowanie jest jedynym źródłem utrzymania. Sprzedawca ptaków na egipskim targu, widząc dezaprobatę na jego twarzy, mówi: „Wy, Amerykanie, współczujecie ptakom, ale nie żal wam, kiedy bomby spadają na czyjeś domy". Jest w tych słowach jakaś bolesna prawda, choć łatwo byłoby odpyskować, że wrażliwość na piękno przyrody nie wyklucza wrażliwości na ludzkie cierpienie. Ale Franzen nie mówi nic.

Istotę konfliktu szczególnie dobrze obrazuje jedna opisana przez niego scena. Akacjowy zagajnik pośrodku pustyni. Oaza na morzu piasku. Grupka beduińskich nastolatków z bogatych domów zabija nudę, zabijając odpoczywające tam ptaki. Przed namiotem skacze pliszka żółta, „drobne, ufne, ciepłokrwiste, pięknie ubarwione stworzenie, które przeleciało właśnie setki kilometrów przez pustynię", pisze Franzen. Młody łowca nie zachwyca się jednak urodą ptaka ani nie rozczula jego bezbronnością. Bez namysłu strzela z wiatrówki. Chybia. Pliszka odlatuje. Dla beduina to „ryba, która się wyślizgnęła". Dla pisarza „rzadki moment ulgi".

Człowiek Zachodu często antropomorfizuje ptaki. Obdarza je charakterem, przypisuje im ludzkie cnoty. Dla Egipcjan to po prostu zwierzęta, nikt się nad nimi nie roztkliwia. Zabić ptaka to dokładnie to samo co zabić rybę. I tak było tu zawsze. Problem polega jednak na tym, że metody polowania trochę się zmieniły. Skuteczność łowcy uzbrojonego w kij była mniejsza niż tego uzbrojonego w karabin z precyzyjnym celownikiem. Powszechne jest teraz wabienie ptaków nagraniami z odtwarzacza MP3. Sieci z cieniutkiej nylonowej przędzy pokrywają w porze migracji niemal całe wybrzeże. Zdaniem Franzena wyłapują one nawet sto tysięcy wykończonych lotem przez morze przepiórek. Egipcjanie tłumaczą, że nie zabijają gatunków rodzimych, tylko „obce", wędrujące ptaki.

(W lutym 2014 roku Albania wprowadziła dwuletnie moratorium na polowanie. Pod ochroną znalazły się ptaki i ssaki. Podobno decyzję zainspirował właśnie tekst Franzena).

Alka olbrzymia. Ten mierzący prawie metr długości ptak mieszkał kiedyś na północnych morzach od Kanady po Norwegię. Alka większość życia spędzała w wodzie, na skaliste wybrzeża wychodziła niechętnie i niezdarnie. Wyprostowaną sylwetką przypominała pingwina. Składała jedno jajo, wychowywała pisklę i wracała do morza. Miała drobne, szczątkowe skrzydła, niezdolne unieść ją w przestworza. Nic dziwnego – służyły jej jako wiosła, a pływała i nurkowała niezrównanie.

Na alki polowano już w paleolicie. Ozdoby z ich dziobów znajdowano w mogiłach ówczesnych rybaków i żeglarzy. W późniejszych relacjach marynarzy przewija się obraz skalistych wysp tak ciasno okupowanych przez ptaki, że nie sposób było się między nimi przecisnąć. Alki trzebiono bezlitośnie dla mięsa i pierza. Na jałowych wyspach dalekiej Północy ich oleiste, nieprzemakalne pióra i tłuste ciała służyły marynarzom również jako opał. Tak wybito największą kolonię na wyspie Funk (kiedy wylądowali tam Europejczycy, liczebność tej populacji szacowano na sto tysięcy par). Inna niedostępna dla ludzi, otoczona skałami kolonia u wybrzeży Islandii została zniszczona przez wybuch wulkanu. Pod koniec XVIII wieku stawało się jasne, że alka olbrzymia jest w krytycznej sytuacji. Wiele muzeów chciało posiadać okaz ginącego ptaka. Wielu bogatych snobów życzyło sobie mieć w swojej kolekcji jaja tajemniczej alki.

Upiorny wyścig zakończył się 3 lipca 1844 roku, kiedy na wyspie Eldey wylądowało trzech islandzkich rybaków. Dostrzegli dwa ptaki, parę; samica zdążyła złożyć na skałach jajo. Alki rzuciły się do ucieczki, pozostawiając swój skarb, ale ich ciała, tak zwinne w wodzie, na lądzie poruszały się za wolno. Jón Brandsson i Sigurður Ísleifsson zabili oba dorosłe ptaki, Ketill Ketilsson zapisał się w historii jako niezdara, który rozbił jedyne i ostatnie jajo. Alki zostały sprzedane za równowartość dziewięciu funtów. Skorupy jajka wyrzucono jako bezużyteczne.

Cywilizacja starożytnego Egiptu zależała od corocznych kaprysów Nilu – wylewająca rzeka niosła żyzny namuł na pola uprawne. Susza oznaczała głód. Ale rzeka żywiła na różne sposoby. W gąszczach nabrzeżnych papirusów polowano na wędrujące ptaki. Z malowideł ściennych wiemy, że używano w tym celu broni przypominającej współczesne bumerangi – wygiętych kawałków drewna z zaostrzoną krawędzią. Relief z grobowca Mereruki (XXIII wiek p.n.e.) przedstawia polowanie na przepiórki i ptaki kryjące się w zbożach. Popularne były wielkie sieci w drewnianej ramie, które zarzucano na żerujące stada. Czasami ptaków było tak wiele, że nie dało się ich zjeść. Oswojone, trzymane przy gospodarstwie gęgawy dały początek gęsi domowej.

Malowidło z grobowca Nefermaata przedstawia trzy pary ptaków trzech różnych gatunków: bernikle rdzawoszyje, gęsi białoczelne i gęsi zbożowe. Widać, że artysta bardzo dokładnie przestudiował proporcje ciała i detale upierzenia. Przez lata datowano obraz na rok 2600 p.n.e., dopiero niedawno pojawiły się wątpliwości i podejrzenia, że arcydzieło nazywane egipską Moną Lisą to fałszywka. Niezależnie od tego, czy autorem jest starożytny artysta, czy jego odkrywca, malarz Luigi Vassalli, gęsi rzeczywiście zajmowały ważne miejsce w religii Egiptu. Były symbolem Geba, drugorzędnego boga, który odegrał pierwszorzędną rolę. To ze złożonego przez niego jaja zrodziło się Słońce. To on był protoplastą innych „ptasich bóstw": Izydy (czasem przedstawianej jako kania) i jej syna Horusa – mężczyzny z głową sokoła, pana przestworzy, czasem utożsamianego z panującym władcą, innym razem towarzyszącego mu jako opiekun. Na jednym z posągów sokół siedzi u wezgłowia tronu i jakimś dziwnie ludzkim gestem otacza skrzydłami głowę Chefrena, faraona, który pozostawił po sobie jedną z piramid i Sfinksa.

Był też Thot, zrodzony z nasienia Horusa lunarny bóg ibis z zagiętym jak sierp księżyca dziobem. To on dał ludziom alfabet. Ibisy czczone (taką nazwę noszą w Polsce), białe z ciemną, niepokrytą piórami głową, otaczano w Egipcie kultem. Herodot twierdził, że za zabicie tego ptaka karano śmiercią. Hodowano je w poświęconych Thotowi świątyniach, a po śmierci ich ciała balsamowano. Archeolodzy odkryli katakumby ze szczątkami milionów zmumifikowanych ibisów. W okresie szalonej egiptomanii na przełomie XIX i XX wieku kilku brytyjskich malarzy historycznych przedstawiło sceny karmienia boskich ptaków przez mniej lub bardziej rozebrane kapłanki.

Anglicy mówią „*dead as a dodo*", martwy jak dodo. Nieodwołalnie i ostatecznie. Człowiek szybko poradził sobie z tym sporym nielotnym gołębiem żyjącym na Mauritiusie. Z pewnością ułatwił to jeszcze fakt, że nieszczęsny dront dodo (*Raphus cucullatus*) był ufny i niepłochliwy. Ptaki z izolowanych wysp nie bały się przybyszów, bo zwyczajnie nie znały ich niszczycielskich możliwości. Ludzie zabijali dodo dla mięsa, a jaja i pisklęta zjadały przywiezione przez Europejczyków świnie, szczury i makaki. Ostatnia pewna informacja na temat żyjącego ptaka pochodzi z 1662 roku. Najnowsze badania zakładają, że gatunek wyginął w latach dziewięćdziesiątych XVII wieku. Żyjące na sąsiednich wyspach spokrewnione z dodo nieloty zniknęły sto lat później.

Do naszych czasów nie przetrwał żaden wypchany eksponat. Mamy jedynie pokrytą skórą czaszkę i łapę ptaka. Właściwie nie jesteśmy nawet pewni, jak dokładnie wyglądał. Przez lata głównym źródłem informacji były szkice i obrazy, w tym najbardziej znane pędzla Roelandta Savery'ego z lat dwudziestych XVII wieku. Malarz oglądał rozmaite egzotyczne stworzenia w dworskich menażeriach i umieszczał je na wielu swoich obrazach. Szczególnie lubił fantastyczne, harmonijne krajobrazy z pokojowymi zgromadzeniami zwierząt. Drapieżniki wśród roślinożerców, lwy, jelenie i kaczki. Dodo widzimy między innymi na *Pejzażu z ptakami* czy prawym dolnym rogu *Raju*. Ptaka namalował również bratanek Roelandta Jan, ale zapewne kopiował dzieła stryja.

Obecnie uważa się, że obrazy Saverich nie oddają prawdziwej sylwetki dodo – ptaki trzymane w niewoli miały podobno tendencję do nieumiarkowanego jedzenia i były zwyczajnie grube. Dzikie osobniki szczyciły się bardziej sportową sylwetką i prawdopodobnie szybko biegały. Naukowcy dysponują wieloma szkieletami dodo, które obudowywano hipotetycznym ciałem. Eksponat w Natural History Museum w Londynie to właśnie taka próba rekonstrukcji. Gipsowa sylwetka niczym z obrazów Savery'ego oklejona szarymi piórami. Początkowo był równie tłusty jak ptaki z malowideł Holendra, odchudzono go dopiero po badaniach szkieletu i analizie, która wykazała, jaki ciężar mógł dźwigać.

Od paru lat podglądam na Facebooku Libańczyka George'a. George regularnie prezentuje zabite przez siebie ptaki. Oto George i ogromne naręcza powiązanych za głowy drozdów śpiewaków. Twarz zadowolona. Ubrany jest w rozerwaną pod pachą kurtkę moro i ćmi papierosa. Taki ma George męski styl. Tu z kolei George z kolegą. Fotogenicznie zmarszczone brwi, w rękach strzelby, a na maskach ich dżipów skołtuniona drobnica. Na oko kilkaset ptaków. Na innym zdjęciu stół zasłany ptasimi ciałami, a w rogu rączka kilkuletniego dziecka, które wspina się na palce, żeby ogarnąć wzrokiem zdobycz.

Aż dwa zdjęcia poświęcił George rannemu kuzynowi myszołowa – kurhannikowi. Ptak siedzi na ziemi z opuszczonymi skrzydłami. Na kamieniach widać krew, zdjęcie zrobiono z bliska. W komentarzach wrze, bo George pozwala się wypowiadać wszystkim. Dyskutuje. Napisał nawet: „*Only God can judge me*" (tylko Bóg może mnie osądzić). Rzeczywiście, libańskie prawo jest w tej materii wyjątkowo ułomne. Projekt przepisów z 2004 roku zakładający wprowadzenie limitów polowań na pospolite gatunki oraz ochronę między innymi ptaków drapieżnych, pelikanów i bocianów nigdy nie wszedł w życie. Przestarzałe prawo z 1995 roku jest ignorowane. Żeby unaocznić skalę problemu, Committee Against Bird Slaughter przeprowadził analizę samych zdjęć umieszczanych na portalach społecznościowych. Na pięciuset osiemdziesięciu dziewięciu zdjęciach doliczono się ponad trzynastu tysięcy zabitych ptaków należących do stu czterdziestu trzech gatunków. W tej ogromnej liczbie są również ptaki zagrożone – ścierwnik biały, orlik krzykliwy, ślepowron czy kraska. Zdjęcia pochodziły z zaledwie czterystu profili. Szacuje się, że w Libanie poluje sześćset tysięcy myśliwych (z czego zaledwie trzy procent jest zarejestrowanych).

Przeglądam profile znajomych George'a. To nie banda wieśniaków, która zabija z głodu (tych nie ma na Facebooku), tylko wyższa klasa średnia. Nie boją się kary, są dobrze ubrani, mają nowe samochody i podróżują po świecie. Jamil jest księgowym. Możemy obejrzeć jego zdjęcia z Paryża i Genewy, ma ładną żonę i lubi niemieckie pointery krótkowłose. Na profilu zamieścił fotografię, na której z dumą prezentuje zabitego lelka. Ten nocny ptak w ciemnościach bezszelestnie ugania się za ćmami. Oczywiście nie wolno na niego polować, ale ustrzelenie skrytego stworzenia to powód do dumy. Jamil zna

Jada. Ten wygląda trochę jak Jason Statham i chyba o tym wie. Kwadratowa szczęka, łysa głowa, zarost i ciemne okulary. W terenie ma minę zaciętą, ale kiedy fotografuje się w luksusie, jego rysy miękną, a twarz przypomina rozdeptany pączek. On także w weekendy zamienia się w bezwzględną maszynę do zabijania.

Myśliwi z Libanu, ci bardziej majętni, chętnie podróżują. Późnym latem i jesienią wybierają się na przykład do Rumunii. Tu zabijają między innymi turkawki, przepiórki i małe ptaki śpiewające. *All inclusive.* Nawet analiza profili myśliwych na portalach społecznościowych pokazuje wyraźnie, że ustalone urzędowo limity odstrzałów są wielokrotnie przekraczane. Autor reportażu *The Massacre of Europe's Songbirds* szacuje, że spośród pięciu miliardów ptaków, które jesienią lecą do Afryki i w rejon śródziemnomorski, ginie około miliarda. Drapieżniki zabija się za pomocą zatrutej padliny, głośniki z nagraniami wabią drobnicę w sieci i klejowe pułapki. Ptaki siadają na gałęziach pokrytych gęstą mazią, która nie pozwala im odlecieć, i najczęściej umierają z wycieńczenia w palącym południowym słońcu. Na przykład na Malcie morderczą miksturę robi się ze śliwek.

W Unii Europejskiej obowiązuje tak zwana dyrektywa ptasia, która nakazuje chronić nie tylko ptaki, ale też ich siedliska. Niestety kraje członkowskie mogą robić od jej zapisów odstępstwa. Za zabicie któregoś z gatunków ptaków jedzonych we francuskich restauracjach w Anglii trafiłoby się do więzienia. Paszkot upolowany w Rumunii musi zostać do Włoch przemycony. Biznesem rządzą zorganizowane gangi – ptaki są pozbawiane głów i częściowo oprawiane, by utrudnić ich identyfikację. Jaka jest skala procederu? Olbrzymia. Dość powiedzieć, że w jednej ciężarówce jadącej z Serbii włoska straż graniczna znalazła sto dwadzieścia tysięcy ciasno spakowanych ptaków.

Na Bałkanach i w Rumunii polują głównie Włosi. Można ich spotkać o każdej porze roku, w sezonie i poza nim. Włoscy myśliwi mogą wywieźć z Rumunii po sto skowronków na dzień, ale rzeczywiście wywożą ich znacznie więcej. Organizator łowieckich wycieczek pochwalił się autorowi artykułu, że rekordzista ustrzelił w ciągu doby czterysta ptaków. Firma zapewniła mu składane krzesełko, by za bardzo się nie zmęczył. Krzesełko stanęło w sąsiedztwie świeżo zżętego pola, na którym żerowały stada ptaków. Rumuński rząd nieustannie rozluźnia prawo chroniące ptaki, w zeszłym roku wydano na przykład pozwolenie na odstrzał jednej trzeciej populacji skowronka. Wielu myśliwych z Włoch to szefowie firm i banków, słowem – potencjalni inwestorzy, a skowronki są dla nich przynętą.

O ochronie przyrody nigdy nie czytałem nic mocniejszego niż *Last of the Curlews* Freda Bodswortha. Książka po raz pierwszy ukazała się w 1955 roku i opowiada o ostatnim żyjącym kuliku eskimoskim, który szuka partnerki. Samotnie wędruje, samotnie broni kawałka tundry, na którym chce założyć płytkie, wysłane liśćmi i trawą gniazdo. Przepędza kuliki innych gatunków, zawzięcie atakuje patrolującego okolicę myszołowa włochatego. Instynkt podpowiada mu co roku, kiedy ruszyć w wędrówkę przez dwa kontynenty – z dalekiej kanadyjskiej północy do Patagonii.

Po raz pierwszy kulik eskimoski został opisany w 1772 roku przez Johanna Reinholda Forstera. „Nazywany jest przez miejscowych Wee-kee-me-nase-su; na bagnach żywi się robakami, larwami *etc.* Przylatuje do Fort Albany w kwietniu albo na początku maja; lęgi odbywa na północy, wraca w sierpniu i w ogromnych stadach leci dalej na południe w drugiej połowie września". W 1861 roku Elliott Couses pisał, że stada ostrzeliwane przez myśliwych nie uciekały, lecz jedynie latały błędnie nad ich głowami. Jedna salwa zabijała nawet dwadzieścia ptaków. Łowcy nazywali je „ptakami z ciasta" (*dough-birds*), bo w porze wędrówki były tak opasłe, że skóra na ich wypełnionych tłuszczem piersiach pękała przy zderzeniu z ziemią. Czasami, kiedy gwałtowna burza wypchnęła kuliki na otwarte morze, siadały na plaży, zbyt wyczerpane, by wzbić się w powietrze. Wtedy ludzie zabijali je pałkami.

Na początku XX wieku ornitolodzy nie mieli już wątpliwości, dokąd to wszystko zmierza. „Po 1892 roku zaledwie mała pozostałość tego niegdyś licznego gatunku odwiedza wybrzeża Labradoru [...]. To oczywiste, że kulik znika – i jest na prostej drodze do całkowitego wyginięcia", pisali Charles W. Townsend i Glover M. Allen w opublikowanym w 1907 roku artykule. Niecałe dziesięć lat później uważano powszechnie, że gatunek nie podniesie się już z upadku. Liczebność ptaków była tak niewielka, że nie widziano szans na odbudowę populacji. Ornitolodzy porównywali rzeź kulika do tego, co stało się ze świeżo pogrzebanym gołębiem wędrownym.

Ptak Bodswortha to istota taka jak my – ma swoje życie wewnętrzne, odczuwa smutek i radość. Szuka szczęścia. Łatwo posądzić autora o antropomorfizację, a to zarzut, który często przesuwa mądre, wartościowe książki na półkę z literaturą dziecięcą. Z czytankami o mądrych sowach i zarozumiałych wronach. Człowiek broni się przed myślą, że zwierzęta czują. I że te uczucia są w jakiś sposób podobne do jego własnych. To, co sprawia, że książka Bodswortha jest tak poruszająca, to właśnie próba spojrzenia na świat oczami ptaka. Kierowanego instynktem, ale ulegającego uczuciom. Nie jest to spojrzenie naiwne, choć bardzo odległe od tego, którym zwykliśmy patrzeć na zwierzęta.

Po pięciu latach oczekiwania kulik spotyka w końcu swoją samicę. Scena zalotów wprawia w zdumienie. Jak Bodsworth to robi, że wierny opis zachowań ptaków jest jednocześnie tak wzruszający? Czasami zwyczajnie zamienia kulika w człowieka: „Bez ustanku rozmawiali w ciemności – miękkie, seplenące dźwięki rosły lekko ponad gwizdem powietrza pod skrzydłami, a samiec zaczynał zapominać, że znał mękę samotności". Może to nienaukowe, ale w końcu to literatura, literatura zaangażowana, która ma wychowywać nieustraszonych obrońców przyrody.

Niestety, by wzbudzić w nas gniew i sprzeciw wobec ludzkiego okrucieństwa, ta historia nie może skończyć się dobrze. Para siada na świeżo zaoranym polu gdzieś na prerii. Inne ptaki zrywają się, widząc nadjeżdżający traktor, ale nie kuliki. One ufają sile swoich skrzydeł i zwlekają do ostatniej chwili. Ogarnięte miłosnym uniesieniem nie zwracają uwagi na mężczyznę, który zsiada z traktora. Gdy padają strzały, kuliki zrywają się do lotu, ale samica leci coraz wolniej. Wreszcie wydaje ostatni krzyk i spada na ziemię. Samiec nawołuje, zachęca ją do wysiłku, ale na darmo. Spędza noc przy stygnącym ciele i leci na Północ, jak każe mu instynkt. By potem znowu uparcie bronić terytorium w oczekiwaniu na inną samicę.

Na podstawie książki Bodswortha powstał godzinny film animowany. Wyemitowano go po raz pierwszy w 1972 roku. Jego popularność oczywiście przerosła poczytność książki, mimo że rysunkowy *The Last of the Curlews* jest jej wierną adaptacją. Nastrojowa muzyka, sceny z wtulonymi w siebie ptakami i dramatyczne zakończenie zapisały się głęboko w pamięci wszystkich widzów. Nie tylko dzieci, choć to przede wszystkim do nich był skierowany. Kuliki jeszcze bardziej przypominały tu ludzi: „Całą noc rozmawiały, planując swój dom na Północy i przyszłą rodzinę".

Ostatnią parę kulików eskimoskich obserwował w 1962 roku w Galveston (Teksas) sierżant Joseph M. Heiser Jr. Żerowały w towarzystwie innych ptaków, między innymi łudząco do nich podobnych kulików mniejszych. Pomyłka była jednak wykluczona. Obserwatorzy mieli osiem lunet i przez blisko godzinę mogli sprawdzić każdą cechę diagnostyczną u brodzących w trawie kulików. Rok później na Barbadosie zastrzelono jeszcze jednego ptaka (trupa oznaczył znany nam już James Bond – przekazał go jako eksponat do Akademii Nauk Przyrodniczych w Filadelfii). Od tamtego czasu mimo kilku doniesień nie udokumentowano żadnej obserwacji. Obecnie kulik eskimoski sklasyfikowany jest jako „krytycznie zagrożony (prawdopodobnie wymarły)".

W Polsce również poluje się na ptaki. Legalnie, w wyznaczonym okresie można strzelać do trzynastu gatunków. Kłopot polega jednak na tym, że większość myśliwych kompletnie nie zna się na ptakach. Przecież na pierwszy rzut oka każda kaczka w locie wygląda podobnie, szczególnie w słabym świetle. Wielu myśliwych nawet nie zdaje sobie sprawy z tego, że zabija gatunki chronione. Dlaczego w ogóle poluje się na ptaki? Podobnie jak w przypadku zwierzyny płowej argumentem są często straty w zasiewach, które powodują na przykład duże stada gęsi. Czy polowania prowadzą do zmniejszenia szkód rolników? Dlaczego na liście gatunków łownych znajduje się na przykład łyska, która nigdy nie ląduje na polach? Czemu winien jest mieszkający w puszczy jarząbek?

Przeciwnicy polowań na ptaki zderzają się również ze spiżowym patosem słowa „tradycja". To właśnie owa „tradycja", kiedy zabraknie innych argumentów, ma uzasadniać sens strzelania do kaczek, gęsi i łysek. Przecież robili tak nasi dziadowie i ojcowie, zamach na ten zwyczaj to zamach na naszą tożsamość, historię i wartości. Na polskość. Powoływanie się na te idylliczne czasy, gdy polowanie było istotną częścią codzienności, to ignorowanie faktu, że nasz świat zupełnie już nie przypomina tamtego. Dziś dzikich ptaków praktycznie się nie je, drób hodowlany jest tak tani, że każdy może sobie na niego pozwolić. Strzelanie do ptaków to raczej rodzaj emocjonującego sportu.

Stawy Milickie w dolinie Baryczy. Wykopane w XIII wieku rękami zmyślnych cystersów wciąż są miejscem hodowli karpi i wielkim rezerwatem przyrody. Co roku tysiące gęsi nocują na tych rozległych i bezpiecznych wodach. Koło ósmej rano zaczyna się rozlot. Ptaki podrywają się w przejrzystym powietrzu. Gęś to istota społeczna, cały czas nawołuje, upewnia się, że leci ze znajomymi, a znajomi potwierdzają, że są tuż obok. Ptaki przenoszą się na okoliczne pola, żeby żerować na kukurydzianych ścierniskach. To blisko, ale trasa jest niebezpieczna. Brzeg stawu stanowi granicę rezerwatu i już tu czekają myśliwi, którzy posyłają w stado amunicję numer 2. Wiązka ołowianych kulek wyrzucona z plastikowej gilzy trafia zwykle kilka ptaków. Jeżeli nie zginą od razu, umrą za jakiś czas od zatrucia ołowiem albo zakażenia.

We Francji też nieustannie dyskutuje się na temat tradycji. Tradycji kulinarnej. Słynni szefowie kuchni, prominentni politycy, obrońcy tożsamości narodowej i cała masa wyrafinowanych żarłoków nie mogą przeżyć tego, że europejskie przepisy nie pozwalają im jeść ortolanów. Te niewielkie, spokrewnione z trznadlami polne ptaki zainspirowały podobno Beethovena do napisania pierwszych taktów V *Symfonii*.

Od lat ich liczebność dramatycznie spada, bo kłusownicy mimo zakazów co roku chwytają w południowych regionach kraju prawie trzydzieści tysięcy ortolanów. Ptaki są trzymane w zaciemnionych pudełkach i tuczone (wrażenie nocy dezorientuje je i wzmaga ich apetyt).

Sprzedaż, zabijanie i jedzenie ortolanów są oczywiście zabronione, ale w kraju, który szczyci się swoją kuchnią, przymyka się oko na łamanie prawa, gdy w grę wchodzą takie delikatesy. Spasione, dwu-, trzykrotnie cięższe ptaki trafiają do restauracji, gdzie topi się je w armagnacu, tak by ich wnętrzności przesycił aromat alkoholu. Następnie trafiają do pieca. Ortolany zjada się w całości (wypluwa się jedynie kości, których nie da się pogryźć), zarzucając na głowę serwetkę, by nie uronić wspaniałych aromatów. Ten pornograficzny przykład okrucieństwa (podobnie zresztą jak metody robienia *foie gras*) nie odstrasza prawdziwych smakoszy.

Umierający na raka François Mitterand zażądał na łożu śmierci następującego menu: trzydzieści ostryg z Marennes, *foie gras*, kapłon oraz – jako gwóźdź programu – dwa ortolany. Do picia słodkie sauternes. Nawet Francuzi uznali, że było w tym festiwalu obżarstwa coś niestosownego. Smakiem ortolanów zachwycał się też Jeremy Clarkson, znany z niewyparzonego języka celebryta i dziennikarz motoryzacyjny. W programie *Jeremy Clarkson: Meets the Neighbours* dostał talerz z niewielkim wypieczonym ptaszkiem, którego z dużym zadowoleniem zjadł. Tłumaczył, że nie zapłacił za ortolana, a więc wszystko odbyło się zgodnie z prawem. Do BBC napłynęły tysiące skarg. Wielu jego fanów, nawet tych przekonanych, że chamowaty prowadzący to ostatni szczery głos w zakłamanym świecie poprawności, uznało, że tym razem przesadził.

Ptaki nie giną wyłącznie od kul. Większość to ofiary szeroko pojętej cywilizacji. W Stanach Zjednoczonych myśliwi zabijają co roku piętnaście milionów ptaków – niemało, ale w świetle danych American Bird Conservancy to zaledwie wierzchołek góry lodowej. Okazuje się, że największym zagrożeniem ze strony człowieka są... koty domowe. Co roku na terenie Stanów Zjednoczonych puszczane wolno zwierzęta uśmiercają od półtora do ponad trzech i pół miliarda ptaków! To znaczy, że każdy amerykański kot ma na sumieniu nawet kilkadziesiąt osobników rocznie. A środki zapobiegawcze są mało skomplikowane. Oczywiście najskuteczniejsze jest trzymanie kota w domu, ale nawet założenie mu na szyję obroży z niewielkim dzwoneczkiem pozwala uratować pięćdziesiąt jeden procent ptaków.

Według badań naukowców z uniwersytetu w Exeter w latach 1980–2009 populacja ptaków w Europie zmniejszyła się o czterysta dwadzieścia jeden milionów. Badania obejmowały dwadzieścia pięć krajów. Spadki dotyczą głównie najpospolitszych gatunków, takich jak wróbel, szpak czy skowronek, co świadczy o gwałtownie pogarszającym się stanie środowiska. Te czterysta dwadzieścia jeden milionów robi jeszcze większe wrażenie, kiedy uświadomimy sobie, że to aż dwadzieścia procent całkowitej liczby ptaków w Europie.

W najgorszej sytuacji są ptaki krajobrazu rolniczego, które giną w związku z intensyfikacją metod uprawy i masowym wykorzystywaniem środków chemicznych. Siedliska przecinamy sieciami dróg. Spychamy zwierzęta na tereny, dla których jeszcze nie znaleźliśmy zastosowania. Jesteśmy samolubni i krótkowzroczni. Smutnym symbolem tej polityki był dla mnie widok doliny Biebrzy wiosną 2015 roku. Środkowy basen rzeki to prawdziwe sanktuarium przyrody, miejsce występowania najrzadszych polskich ptaków. Od kwietnia na tutejszych łąkach tokują niedobitki cietrzewi (łownych jeszcze dwadzieścia lat temu), w maju na turzycowiskach rozbrzmiewa klekotanie dubeltów. Jest szósta rano, oślepiające słońce, a ja patrzę na ols, w którym żyje jedna z kilku polskich par orlika grubodziobego. Paręnaście kilometrów za lasem (co to za odległość dla ptasich skrzydeł?) błyska srebrnymi śmigłami farma wiatrowa. Masowy zabójca szybujących drapieżników czeka na kolejną ofiarę.

Podziękowania

Dziękuję: Martce. Rodzicom. Wujowi Jasiowi. Wiktorowi. Michasiowi i Opolanom. Maciulce. CBetce. Borowi i Małgosi. Jot i Miłemu. Dorocie F5. Kubie. Albinowi. Myszy. Magdzie. Dziubakowi. Frankowi. Sufinowi. Bibi i Krzysztofowi. Kazimierzowi. Michałowi Cichemu.

Przyjaciołom od ptaków i nie tylko: Antkowi Marczewskiemu, Beacie Kojtek, Michałowi Szczepańskiemu, Wojtkowi Mańkowskiemu, Kmicicowi, Koniowi, Hipkowi, Markowi Matusiakowi, Michałowi Polakowskiemu i Monice Broniszewskiej, Kasi i Krzychowi Stępniewskim, Justynie Szulc, Jarkowi Synowieckiemu, Oliwierowi Myce, Jankowi Szczepankowi, Jankowi Rapczyńskiemu, Witkowi Muchowskiemu, Pawłowi Pstrokońskiemu, profesorowi Maciejowi Luniakowi, doktorowi Eugeniuszowi Nowakowi, Renacie Markowskiej, Joannie Wójcik, Dorocie Zielińskiej, Magdzie Dziadosz.

Szczególne podziękowania dla: profesora Tomasza Boreckiego, profesora Andrzeja Mencwela oraz Państwa Wujków.

Bibliografia

Referencje

Černý Walter, Drchal Karel, *Jaki to ptak?*, przeł. Aleksander Ostrowski, Warszawa 1979

Clément Janequin, « Le chant des oiseaux », http://www4.ac-nancy-metz.fr/educationmusicale88/chant%20des%20oiseaux.pdf [dostęp: wrzesień 2015]

Dobrowolski Kazimierz A. i in., *Ptaki Europy*, Warszawa 1991

Jonsson Lars, *Ptaki Europy i obszaru śródziemnomorskiego*, przeł. Tadeusz Stawarczyk i in., Warszawa 2006

Jurgielewiczowa Irena, *O czterech warszawskich pstroczkach*, Warszawa 1954

Kapuściński Ryszard, *Prawa natury*, Kraków 2006

Rothenberg David, *Why Birds Sing: A Journey Into the Mystery of Birdsong*, New York 2006

Sokołowski Jan, *Ptaki Polski*, Warszawa 1972

—, *Ptaki ziem polskich*, t. 1 i 2, Warszawa 1972

Svensson Lars, *Ptaki Europy i obszaru śródziemnomorskiego*, przeł. i adapt. Dariusz Graszka-Petrykowski, Warszawa 2012

Jastrząb Chełmońskiego

Charazińska Elżbieta, *Józef Chełmoński* Dropie. *Pierwszy po 128 latach publiczny pokaz obrazu w Polsce*, Radziejowice 2014

Górska Pia, *O Chełmońskim. Wspomnienia*, Warszawa 1932
Melbechowska-Luty Aleksandra, *Chełmoński. Malarz polskich żywiołów*, Radziejowice 2014
Wegner Jan, *Józef Chełmoński*, Warszawa 1958
Witkiewicz Stanisław, *Józef Chełmoński*, w: tegoż, *Pisma zebrane*, t. 1, Kraków 1971

Sosnówka pachnąca żywicą

Akcja Bałtycka, http://akbalt.ug.edu.pl/ [dostęp: wrzesień 2015]
Battley Phil F. i in., *Contrasting extreme long-distance migration patterns in bar-tailed godwits* Limosa lapponica, „Journal of Avian Biology" 2012, Vol. 43, No. 1; http://greenwich.audubon.org/sites/default/files/documents/battley_et_al__2011_jab_barg_migration_warnock.pdf [dostęp: wrzesień 2015]
Birkhead Tim, *Sekrety ptaków. Fascynujący świat ptasich zmysłów*, przeł. Włodzimierz Stanisławski, Łódź 2012
Busse Przemysław i in., *Obrączkowanie ptaków*, Kraków 2012
Doyle Alister, *Arctic terns' flying feat: same as 3 trips to Moon*, http://www.reuters.com/article/2010/01/11/us-terns-idUSTRE60A4NV20100111#4eS4F4vlX10Usaci.97 [dostęp: wrzesień 2015]
Lanyon Wesley E., *Biologia ptaków*, przeł. Mieczysław Józefik, Warszawa 1968
Makrokosmos, reż. Jacques Perrin, Jacques Cluzaud, Michel Debats, Francja, Hiszpania, Niemcy, Szwajcaria, Włochy 2001
Mauersberger Gottfried, *Ptaki*, przeł. Jerzy Desselberger, Andrzej Kruszewski, Warszawa 1999
Mead Chris i in., *Migracje ptaków. Atlas. Szlakami skrzydlatych podróżników*, przeł. Marek Keller, Warszawa 2007
Preuss Niels Otto, *Hans Christian Cornelius Mortensen: Aspects of his life and of the history of bird ringing*, „Ardea" 2001, nr 89 (1)
Swirski Zbigniew, *O wędrówkach ptaków*, Warszawa 1959

James Bond i spółka

Cashwell Peter, *The Verb 'To Bird'. Sightings of an Avid Birder*, Philadelphia 2003

Collin Robbie, *The Big Year, review*, http://www.telegraph.co.uk/culture/film/filmreviews/8929276/The-Big-Year-review.html [dostęp: wrzesień 2015]

Czarzasty Włodzimierz, Stanisławska Joanna, *„Kaczyński miał rację"; On ciągnie za wszystkie sznurki?*, http://wiadomosci.wp.pl/kat,119674,title,Kaczynski-mial-racje-On-ciagnie-za-wszystkie-sznurki,wid,13137153,wiadomosc.html [dostęp: wrzesień 2015]

Franzen Jonathan, *My Bird Problem*, „The New Yorker", 8 sierpnia 2005, http://www.newyorker.com/magazine/2005/08/08/my-bird-problem [dostęp: wrzesień 2015]

—, *Wolność*, przeł. Witold Kurylak, Katowice 2011

Gatunki ptaków stwierdzone w Polsce – stan z 31.05.2015, http://komisja-faunistyczna.pl/?page_id=10 [dostęp: wrzesień 2015]

House of Cards, sezon 1, odcinek 12, reż. Allen Coulter, Stany Zjednoczone 2013

Ian Fleming book with message to 'the real James Bond' auctioned for £50,000, http://www.telegraph.co.uk/news/uknews/3541014/Ian-Fleming-book-with-message-to-the-real-James-Bond-auctioned-for-50000.html [dostęp: wrzesień 2015]

James Bond, Ornithologist, 89; Fleming Adopted Name for 007, http://www.nytimes.com/1989/02/17/obituaries/james-bond-ornithologist-89-fleming-adopted-name-for-007.html [dostęp: wrzesień 2015]

Kes, reż. Ken Loach, Wielka Brytania 1969

Olczyk Eliza, *Czarzasty do lewicy: poprzyjcie weto*, http://www.rp.pl/artykul/121892.html [dostęp: wrzesień 2015]

Parkes Kenneth C., *In memoriam: James Bond*, http://sora.unm.edu/sites/default/files/journals/auk/v106n04/p0718-p0720.pdf [dostęp: wrzesień 2015]

Ptaki, reż. Alfred Hitchcock, Stany Zjednoczone 1963

Ptasznik z Alcatraz, reż. John Frankenheimer, Stany Zjednoczone 1962

Śmierć nadejdzie jutro, reż. Lee Tamahori, Stany Zjednoczone, Wielka Brytania 2002
White David M., Susan M. Guyette, *Zen Birding*, Ropley 2010
Wielki rok, reż. David Frankel, Stany Zjednoczone 2011
Z-boczona historia kina, reż. Sophie Fiennes, Austria, Holandia, Wielka Brytania 2006

Harbotka

Sokołowski Jan, *Ptaki ziem polskich*, t. 1 i 2, Warszawa 1972

Bazyliszek na patelni

Barrett David, *A Big Manhattan Year. Tales of Competitive Birding*, New York 2013
Birders: The Central Park Effect, reż. Jeffrey Kimball, Stany Zjednoczone 2012
Lindo David, *The Urban Birder*, London 2013
Loss Scott R. i in., *Bird-building collisions in the United States. Estimates of annual mortality and species vulnerability*, „The Condor" 2014, Vol. 116
Luniak Maciej, *O ptakach Warszawy*, Warszawa 1974
Łubieński Stanisław, *Łazienki Królewskie*, „Skarpa" 2015, nr 1
—, *Pałac, patelnia i park*, „Skarpa" 2015, nr 3
—, *Park Skaryszewski*, „Skarpa" 2015, nr 2
—, *Park Szczęśliwicki*, „Skarpa" 2014, nr 12
Ricciuti Edward R., *The New York City Wildlife Guide*, New York 1984
Stowarzyszenie na rzecz Dzikich Zwierząt „Sokół", http://webcam.peregrinus.pl/pl/warszawa-bielany-podglad [dostęp: wrzesień 2015]
Strawiński Stefan, *O ptakach, ludziach i miastach*, Warszawa 1971
Taczanowski Władysław, *O ptakach drapieżnych w Królestwie Polskiém, pod względem wpływu jaki wywierają na gospodarstwo ogólne*, Warszawa 1860
Zawadzka Dorota, *Ptaki żyjące w mieście*, Warszawa 2011

Bocian imieniem Stonelis

Biblia Tysiąclecia, http://biblia.deon.pl/ [dostęp: wrzesień 2015]

Brzeziński Mieczysław, *Nasi wrogowie i przyjaciele wśród ptaków*, Warszawa 1928

Cichocki Włodzimierz, *Bocian w kulturze*, „Tatry" 2014, nr 2

Góra Aleksander W., *Bocian w słowiańskich wyobrażeniach ludowych*, http://www.gadki.lublin.pl/gadki/artykul.php?nr_art=1414 oraz http://www.gadki.lublin.pl/gadki/artykul.php?nr_art=1436 [dostęp: wrzesień 2015]

Janota Eugeniusz, *Bocian. Opowiadania, spostrzeżenia i uwagi*, Lwów 1876

Jucewicz Ludwik Adam, *Bocian*, w: tegoż, *Litwa pod względem starożytnych zabytków, obyczajów i zwyczajów*, Wilno 1846, http://babel.hathitrust.org/cgi/pt?id=mdp.39015026732076;view=1up;seq=7 [dostęp: wrzesień 2015]

Kronenberg Jakub i in., *Znaczenie bociana białego* Ciconia ciconia *dla społeczeństwa: analiza z perspektywy koncepcji usług ekosystemów*, http://www.iop.krakow.pl/pobierz-publikacje,548 [dostęp: wrzesień 2015]

Oborny Alojzy, *Poeta pejzażu*, w: *Władysław Aleksander Malecki 1836–1900. Katalog wystawy monograficznej*, oprac. Wanda M. Rudzińska i in., Kielce 1999

Projekt www.bociany.pl [dostęp: wrzesień 2015]

Stępień Halina, *Malarz pejzażu*, w: *Władysław Aleksander Malecki 1836–1900. Katalog wystawy monograficznej*, oprac. Wanda M. Rudzińska i in., Kielce 1999

Ślązak Anna, *Coraz mniej bocianów – znamy wstępne wyniki ogólnopolskiego liczenia*, http://naukawpolsce.pap.pl/aktualnosci/news,404449,coraz-mniej-bocianow---znamy-wstepne-wyniki-ogolnopolskiego-liczenia.html [dostęp: wrzesień 2015]

Dwie godziny światła

Chauvet Cave, http://donsmaps.com/chauvetcave.html#reference [dostęp: wrzesień 2015]

Clottes Jean, *Chauvet Cave. The Art of Earliest Times*, transl. Paul G. Bahn, Salt Lake City 2003

Gieysztor Aleksander, *Mitologia Słowian*, Warszawa 2006

Hagen Rose-Marie, Hagen Rainer, *Francisco Goya. 1746–1828*, przeł. Edyta Tomczyk, Warszawa 2003

Keller Marek, *Etyka ornitologiczna, czyli zachowujmy się fair wobec ptaków*, „Woliera" 2005, nr 1 (wydanie specjalne)

Kodeks etyczny fotografii przyrodniczej Związku Polskich Fotografów Przyrody, http://www.zpfp.pl/o-zpfp/kodeks-etyczny [dostęp: wrzesień 2015]

La Grotte Chauvet-Pont d'Arc, Ardèche, http://www.culture.gouv.fr/culture/arcnat/chauvet/en/ [dostęp: wrzesień 2015]

Tabor Artur, *Historia jednego ujęcia. Największy przeciwnik puchacz*, „Ptaki Polski" 2006, nr 2

Taczanowski Władysław, *Ptaki krajowe*, t. 1 i 2, Kraków 1882

Koniec świata nad Kinkeimer See

Hinkelmann Christoph, *Friedrich Tischler (1881–1945). Autor der herausragenden Übersichten über die Vögel Ostpreußens*, „Blätter aus dem Naumann-Museum" 2000, Jg. 19

Niemann Derek, *Birds in a Cage: Germany, 1941. Four POW Birdwatchers. The Unlikely Beginning of British Wildlife Conservation*, London 2013

Nowak Eugeniusz, *Friedrich Tischler (1881–1945) – wybitny ornitolog Prus Wschodnich*, „Natura. Przyroda Warmii i Mazur" 2007, nr 3

—, *Ludzie nauki w czasach najtrudniejszych. Wspomnienia o przyrodnikach*, Poznań 2013

Ażurowy zwierz nad Glinkami

Luniak Maciej i in., *Ptaki Warszawy 1962–2000*, Warszawa 2001

Nowakowski Marek, *Dzikie Pola*, w: tegoż, *Moja Warszawa. Powidoki*, Warszawa 2010

„Przyroda Parku Skaryszewskiego" – raport z realizacji projektu w 2014 r., red. Maciej Luniak, http://www.miastoiptaki.pl/wp-content/uploads/2015/04/RAPORT-20IV15_CC-BY-NC.pdf [dostęp: wrzesień 2015]

Rothenberg David, *Why Birds Sing: A Journey Into the Mystery of Birdsong*, New York 2006

Człowiek, który został sokołem

Baker John A., *The Peregrine. The Hill of Summer & Diaries. The complete works of J. A. Baker*, ed. John Fanshawe, introd. Mark Cocker, London 2011

Macfarlane Robert, *Extreme Styles of Hunting*, http://www.theguardian.com/books/2005/may/21/featuresreviews.guardianreview35 [dostęp: wrzesień 2015]

Ostatnia wieczerza François Mitteranda

Audubon John J., *Passenger Pigeon*, http://www.audubon.org/birds-of-america/passenger-pigeon-0 [dostęp: wrzesień 2015]

Between Heaven and Earth. Birds in Ancient Egypt, ed. Bailleul-LeSuer Rozenn, Chicago 2012

Bodsworth Fred, *Last of the Curlews*, Berkeley 1995

Cats Indoors, http://www.abcbirds.org/abcprograms/policy/cats/index.html [dostęp: wrzesień 2015]

Causes of Bird Mortality, http://www.sibleyguides.com/conservation/causes-of-bird-mortality/ [dostęp: wrzesień 2015]

Collar that cat to save wildlife!, http://www.rspb.org.uk/makeahomeforwildlife/advice/gardening/unwantedvisitors/cats/collarthatcat.aspx [dostęp: wrzesień 2015]

Committee Against Bird Slaughter, http://www.komitee.de/en/homepage [dostęp: wrzesień 2015]
Common European birds have declined more rapidly than rarer species, http://ec.europa.eu/environment/integration/research/newsalert/pdf/common_European_birds_have_declined_more_rapidly_than_rarer_species_401na1_en.pdf [dostęp: wrzesień 2015]
Dodo – Raphus cucullatus, http://www.petermaas.nl/extinct/speciesinfo/dodobird.htm [dostęp: wrzesień 2015]
Dodo, Raphus cucullatus, http://www.birdlife.org/datazone/speciesfactsheet.php?id=2441 [dostęp: wrzesień 2015]
Eskimo Curlew, Numenius borealis, http://www.birdlife.org/datazone/species/factsheet/22693170 [dostęp: wrzesień 2015]
Eskimo Curlew: Three Strikes in the Wink of an Eye, http://www.birds.cornell.edu/AllAboutBirds/conservation/extinctions/eskimo_curlew/document_view [dostęp: wrzesień 2015]
Franzen Jonathan, *Last Song for Migrating Birds,* http://ngm.nationalgeographic.com/2013/07/songbird-migration/franzen-text [dostęp: wrzesień 2015]
Galasso Samantha, *When the Last of the Great Auks Died, It Was by the Crush of a Fisherman's Boot,* http://www.smithsonianmag.com/smithsonian-institution/with-crush-fisherman-boot--the-last-great-auks-died-180951982/?no-ist [dostęp: wrzesień 2015]
Great Auk, Pinguinus impennis, http://www.birdlife.org/datazone/species/factsheet/22694856 [dostęp: wrzesień 2015]
Jarus Owen, *Shocking Discovery: Egypt's 'Mona Lisa' May Be a Fake,* http://www.livescience.com/50309-egyptian-mona-lisa-may--be-fake.html [dostęp: wrzesień 2015]
Kennedy Donald, Wheye Darryl, *Humans, Nature and Birds. Science Art from Cave Walls to Computer Sciences,* New Haven–London 2008
Major John F. Lacey. Memorial Volume, http://www.mocavo.com/Major-John-F-Lacey-Memorial-Volume/197716/177 [dostęp: wrzesień 2015]

Paterniti Michael, *The Last Meal,* http://www.esquire.com/news-politics/a4642/the-last-meal-0598/ [dostęp: wrzesień 2015]
Report on the hunting of migrant birds in the Lebanon – affected species and their conservation status in the EU, Committee Against Bird Slaughter, 2013, http://www.komitee.de/sites/www.komitee.de/files/wiki/2011/02/CABS%20&%20LEM%20Lebanon%20bird%20hunting%20report%202013%20(en)%20.pdf [dostęp: wrzesień 2015]
Rosen Jonathan, *The Birds,* http://www.newyorker.com/magazine/2014/01/06/the-birds-4 [dostęp: wrzesień 2015]
Schneider Eberhard, *Przeciwdziałanie kłusownictwu ptaków śpiewających na Cyprze,* XXXI Zjazd Polskiego Towarzystwa Ochrony Ptaków
Sokołowski Jan, *Ptaki ziem polskich,* t. 1 i 2, Warszawa 1972
STOP *Hunting Crimes in Lebanon,* https://www.facebook.com/stophuntinglebanon [dostęp: wrzesień 2015]
The Last of the Curlews, reż. William Hanna, Joseph Barbera, Stany Zjednoczone 1972
Wallop Harry, *Ortolans: Could France's Cruellest Food Be Back on the Menu?,* http://www.telegraph.co.uk/foodanddrink/foodanddrinknews/11101187/Ortolans-could-Frances-cruellest-food-be-back-on-the-menu.html [dostęp: wrzesień 2015]
White Mel, *Albania's Hunting Ban: Birds and Mammals Get a Two-Year Break,* http://news.nationalgeographic.com/news/2014/02/140210--birds-albania-hunting-ban-migration-franzen/ [dostęp: wrzesień 2015]

Spis treści

WYDAWNICTWO CZARNE sp. z o.o.
www.czarne.com.pl

Sekretariat: ul. Kołłątaja 14, III p., 38-300 Gorlice
tel. +48 18 353 58 93, fax +48 18 352 04 75
mateusz@czarne.com.pl, tomasz@czarne.com.pl
dominik@czarne.com.pl, ewa@czarne.com.pl
edyta@czarne.com.pl

Redakcja: Wołowiec 11, 38-307 Sękowa
redakcja@czarne.com.pl

Sekretarz redakcji: malgorzata@czarne.com.pl

Dział promocji: ul. Marszałkowska 43/1, 00-648 Warszawa,
tel./fax +48 22 621 10 48
agnieszka@czarne.com.pl, dorota@czarne.com.pl
zofia@czarne.com.pl, marcjanna@czarne.com.pl
magda.jobko@czarne.com.pl

Dział marketingu: honorata@czarne.com.pl

Dział sprzedaży: piotr.baginski@czarne.com.pl
agnieszka.wilczak@czarne.com.pl, urszula@czarne.com.pl

Audiobooki i e-booki: anna@czarne.com.pl

Skład: d2d.pl
ul. Sienkiewicza 9/14, 30-033 Kraków
tel. +48 12 432 08 52, info@d2d.pl

Drukarnia Opolgraf SA
ul. M. Niedziałkowskiego 8–12, 45-085 Opole
tel. +48 77 454 52 44

Wołowiec 2016
Wydanie I
Ark. wyd. 7,9; ark. druk. 13